Colección Popular

Leopoldo Azancot

LA NOVIA JUDÍA

FINALISTA PREMIO ATENEO DE SEVILLA 1977

Planeta

COLECCIÓN POPULAR
Dirección: Rafael Borràs Betriu
Consejo de Redacción: María Teresa Arbó, Marcel Plans, Carlos Pujol y Xavier Vilaró

Editorial Planeta, S. A., Córcega, 273-277, Barcelona-8 (España)
Diseño colección, cubierta y foto de Hans Romberg (realización de Jordi Royo)
Primera edición: febrero de 1982
Depósito legal: B. 42032-1981
ISBN 84-320-2211-4
ISBN 84-320-5367-8 primera publicación
Printed in Spain - Impreso en España
"Duplex, S. A.", Ciudad de la Asunción, 26-D, Barcelona-30

Pietà, pietà! del misero amatore
pietà vi prenda, o spiriti infernali.
Qua giù m'ha scorto solamente Amore;
volato son qua giù con le sue ali.
Posa, Cerbero, posa il tuo furore;
chè, quando intenderai tutti i mie'mali,
non solamente tu piangerai meco
ma qualunque è qua giù nel mondo ceco.

ANGELO POLIZIANO
La favola di Orfeo

El anciano ordenó con precisión los pliegues de su ropaje y, sin mirar a sus dos interlocutores, que, sentados sobre el tapiz, con las piernas cruzadas, seguían a hurtadillas cada uno de sus movimientos, volvió a lamentarse.

¡Ay! En aquellos tiempos, Safed no era lo que hoy: casas abandonadas; campos en barbecho, quizá para siempre, que las fieras rondan al anochecer; desolación y ruina. En aquellos tiempos, Safed era la más luminosa, y devota, y rica, de entre las ciudades de Israel; el huerto de granadas de la Alta Galilea: una antesala del Paraíso. «En Safed», decía por aquel entonces Samuel Usques (el Santo lo tenga junto a Sí), «todo judío recibe la gracia del Señor, pues Él le concede la libertad de arrepentirse». Y era verdad: trescientos rabinos velaban por el respeto de la Ley; ancianos santos y doctos, venidos del otro lado del mar, revelaban los arcanos de la Tradición y guiaban por los caminos del éxtasis y de la Justicia a sus discípulos, que, innumerables, practicaban bajo su guía la combinatoria celeste del *Tseruf* y buscaban con obstinación las huellas semiborradas de los Yordé Merkaba; sabios entre los sabios, hombres del misterio último, eran investidos, en fin, mediante la *semicha*, de la jefatura sobre la comunidad del Eterno: rabí Joseph Caro, frecuentado por el Ángel; Moisés Alshech, debelador del Príncipe de los demonios; Haim Vital, de bruces siempre ante el Altísimo.

Yo no los conocí, para mi desgracia; ni tampoco, a la muchedumbre callada —hombres, mujeres y niños, tristes ancianos— que a través de los desiertos de arena y de agua, bajo las espadas, trajeron a la tierra de Israel, desde el extremo Occidente, la llama temblorosa de una fe que sus perseguidores y verdugos creían haber apagado para siempre, pero sí sé del incendio magnífico que tuvo su origen en la diminuta candela: el Safed de ayer, cuyo aroma vertiginoso, cuyo calor de fuego astral, cuyo resplandor, velado por la trama del recuerdo, aún obnubila mis sentidos.

¿Cómo podré yo, que sólo la conocí en su ocaso, evocarla para vosotros en el orto de su grandeza? ¿Cómo podré yo, que sólo alcancé a vislumbrar sus rescoldos, rememorar de forma no demasiado indigna el fuego que, como una zarza silvestre, la cubrió durante tanto tiempo sin consumirla? Para ello no dispongo sino de recuerdos ajenos —la palabra de mis mayores, de mis maestros— y de visiones: visiones que me asaltan por la noche, visiones que me esquivan a la amanecida, visiones a las que acecho, con el alma árida, a lo largo de los días. Os hablaré, pues, de esas visiones, y también, reviviré para vosotros el testimonio que yo recibí. ¡Pueda esto poneros en el camino que conduce al verdadero conocimiento!

Con rabí Joseph Caro se inicia la gloria de Safed; Haim Vital la clausura. Veo al primero emergiendo de la noche, vestido de púrpura, mientras la subrepticia floración de la aurora se extiende por las blancas terrazas umbrías de la ciudad; veo al segundo, negra la mirada en el rostro de plata, pugnando para que sus oraciones posterguen el inevitable crepúsculo que, como una bandada de cuervos, se cierne, con graznidos y entrechocar de alas, sobre la comunidad de los justos. Y entre ambos, ¡cuánto esplendor!: Moisés Cordovero e Isaac Luria, llamado el León, fueron sus principales soportes, las claves secretas del edificio admirable.

De Joseph Caro sé que vino de España, su cuna; que visitó ciudades cuyos nombres están abocados al olvido y que leyó libros desconocidos por todos; que se afincó en Safed y murió en Safed; que escribió mucho y fue justo; pero sobre todo, que un ángel lo visitó. Fue el ángel de la Michna: un ángel andrógino, de pies descalzos, cubierto de flotante brocado, que, agitando su selvática cabellera, le dijo: «Soy la Michna que habla por tu boca; soy el alma de la Michna. La Michna, tú y yo formamos una sola alma.» A partir de aquel momento, en soledad o ante testigos espantados, rabí Joseph Caro caía frecuentemente en éxtasis durante los cuales, descoyuntado como un muñeco, la tez de pálida cera corrompida, hablaba con una voz opaca que era suya y no lo era, inacabablemente, para desvelar secretos sin nombre; para exhortar a los hombres a seguir la ruta que conduce al Paraíso —y también a las mujeres—; para cantar el amor que cubre de llamas los más remotos horizontes.

Como Joseph Caro, Moisés ben Jacob Cordovero predicó, con su vida y con su palabra, con el ejemplo de sus discípulos, la penitencia, la oración, la lectura y meditación del Zohar en cuanto única vía comunitaria capaz de llevar a las tierras sacras de la Redención. Buscaba el arrepentimiento colectivo de Safed, porque se ha dicho que bastaría con la conversión a los designios últimos del Altísimo de una sola comunidad judía para que arribara, con el horror abyecto de las naciones y el luminoso júbilo de Sión, el Mesías que porta las llaves de la puerta de la Eternidad; promovía la transformación de cada hora del día y de la noche en una sola y plural oración ininterrumpida, y la apertura a grandes y pequeños de la ciudadela de la Tradición secreta, porque está escrito que el mensajero del Señor (¡bendito sea su nombre!) sólo espera estas señales para manifestarse. Y junto a esto, ¿cómo ignorar que su voz, al unirse a la de los maestros cuya memoria reverenciamos, convirtió la suma de aquellos cantos desacordados en una conjunción polifónica que, preservando la irrepetible extrañeza de cada línea melódica, alumbraba sus virtualidades ocultas y desvelaba la armonía superior que la confluencia de todas ellas hacía posible? Él fue, también, quien primero osó seguir, con la imaginación despavorida, acezante, las etapas cubiertas por los *sefirots* en su indescriptible desarrollo. Él fue, por último, aquel que tornó más delicadas, como un encaje inconsútil, las temblorosas fronteras que escinden al Santo de lo por Él creado; y ello, sin vulnerar el núcleo indecible de su secreto: delimitándolo, no más, con palabras frágiles.

Sólo tres años vivió Isaac Luria en Safed; sólo tres años, pero en comunión incesante con el profeta Elías, de bendita memoria. ¿Cómo extrañarnos, así, de que su recuerdo deambule aún, como deambulará siempre, por las pinas callejas de la ciudad? Su breve paso por ellas convocó fuerzas, presencias inquietantes, sombras esquivas que aún permanecen y signos fantasmales que remiten a su venerable recuerdo: las almas de los hombres piadosos con que dialogaba, ante el estupor de sus discípulos, durante sus paseos místicos por entre las tumbas; aquellos leones, adolescentes, flores y pájaros, muertos antaño, que se congregaban en su entorno cuando, vestido de blanco, la mirada desmayada y radiante, salía al campo, en el crepúsculo del viernes, para recibir a la Reina Sabbat.

Llegado a la ciudad por imperativo del cielo, trastabillaba de continuo entre el plano de lo cotidiano y el, pavoroso, de la santidad: visiones fantásticas —¿señuelos?, ¿sortilegios?— lo asaltaban no bien cerraba los ojos; el rabí, empavorecido, trepaba entonces por el árbol de la plegaria secreta, se aferraba a su tronco, a sus ramas, con el corazón palpitante, a fin de combatir el vértigo que lo dominaba, a fin de eludir la caída en el abismo sin término del Señor, preguntándose hasta cuándo, hasta cuándo conseguiría retener su alma, impedir que ésta, tumultuosamente atraída por lo ilimitado, forzara su cuerpo y lo abandonara con un crujido leve, como de papel que se rasga. «¡Su cara brilla como el sol!», gritaban las masas a su paso. «¡Es un ángel enviado a la tierra para salvar a los hombres! ¡Aleluya!» Y él callaba, con los ojos rebosantes de lágrimas y el pensamiento extraviado por el laberinto de la doctrina del *Tsimtsum*, por el laberinto de la doctrina del *Shevirat Ha-Kelim*, por el laberinto de la doctrina del *Tikkun*, porque las palabras, impulsadas por el fervor, se le amontonaban en la boca, pugnaces, delirantes, amenazando con desbordar de sus labios y derribar los cimientos del edificio de su razón.

Sólo en muy raras ocasiones había hablado Isaac Luria —el secreto y el sigilo, indeliberados, eran su lote—, pero entonces, ¡qué encantamiento, qué suma de relámpagos verbales, qué teoría inacabable de revelaciones: la luz se hacía, a su conjuro, en el seno mismo de las tinieblas donde yacen esos secretos, fundamentales para todos, cuya existencia misma ignoramos! De aquí, la expectación, anhelante y continua, de sus discípulos; y además, la inquietud nerviosa, agresiva, de aquellos que le eran más próximos, halcones a quienes el sonido de la voz reverenciada, al despojarles de la caperuza que cubría sus ojos, impulsaba, con brincos y vuelos fieros, hacia la presa de la huidiza palabra. Cuando él murió, y su cuerpo fue sepultado, muchos de éstos se disputaron su herencia —la autorización de todos para edificar un palacio conceptual donde pudiera pervivir el espíritu del difunto—, mas únicamente rabí Hayim Vital Azkenazi logró alzarse con ella. ¿Y quién hubiera podido dudar de que lo conseguiría? En aquel hombre tenebroso latían virtualidades que sólo el respeto a su admirado maestro, ahora ido, sofrenaba; en aquel hombre osado dormían visiones cosmogónicas, aún informes, que sólo del desarrollo del pensamiento esbozado por su reverenciado maestro podían recibir sentido. Los discípulos más destacados de Luria, en consecuencia, aceptaron casi de inmediato el yugo pétreo de su autoridad, comprometiéndose, con una pompa que estremeció a las gentes sencillas de Safed, a estudiar la Kabbala bajo su guía luminosa, a guardar en la cámara más recóndita de sus corazones los misterios que por su intermedio descubrieran, los secretos que su nuevo maestro les revelara. Y así, envuelto por sus sombríos ropajes, con los ojos como tizones humeantes, rabí Hayim Vital, libre de preocupaciones mezquinas, pudo llamar a las ocho puertas sublimes y convocar a las fuerzas del rayo, del relámpago y del trueno en su favor.

Yo hubiera podido conocer a rabí Hayim Vital, olvidarme del lugar y de la hora bajo el encantamiento sutil de su verbo, reflejar —aunque más no fuera como un espejo empañado— el fulgor glorioso que de él emanaba: mis años, casi interminables, lo hubieran permitido. Pero no fue así. Pues habéis de saber que yo, para mi desgracia, nací en España, y que sólo alcancé a posar mis pies sobre esta tierra santa cuando ya la ancianidad cubría mis hombros con su manto deshilachado. ¡Horribles años aquellos, medrosos años aquellos, despreciables y perdidos años aquellos en que mi vida, y mi esperanza, y hasta mi muerte —pues aun las tumbas profanaban, entregando los cuerpos corruptos a la horrible purificación de las llamas— dependían de los enemigos del Altísimo (¡sea bendito Su Nombre!) y de su pueblo: los siniestros sacerdotes de negras uñas, dientes cariados y voluntad criminosa, al acecho siempre de quien conservara una relación pura con lo sagrado; los delatores y los espías, la comunidad toda de un país enemigo del espíritu e integrado por seres ambiguos, con grotescas cabezas y vientres obscenos, que husmeaban maníacamente el aire en busca de almas vivas —tan escasas allí, donde impera la muerte—, con objeto de ultimarlas! Sí, sí, yo nací en España, a causa del pecado de mis padres y de los padres de mis padres, y pagué por ello. Escuchad. Cuando los reyes malditos (¡execrada sea su impía memoria!) decidieron expulsar a la flor y nata de los habitantes de sus reinos, a la inmaculada gavilla de los hijos de Sión, sólo les ofrecieron como alternativa, si querían permanecer en la tierra en que abrieron los ojos por vez primera, y conservar lo que fue de sus padres o ellos allegaron, la ruptura de la sagrada Alianza que el Señor estableció con sus mayores. ¿Quién hubiera accedido a cambiar el oro de una relación inusitada con el Altísimo, una relación carnal que hace a cada miembro del pueblo por Él elegido copartícipe en la realización de su plan sobre el mundo, por el plomo vil de un amasijo inextricable de ideas dementes? Nadie, ciertamente, por su propia voluntad. Algunos, sin embargo, movidos por el natural apego a sus bienes, por el natural cariño que se experimenta hacia los lugares donde se desarrolló la propia existencia y la existencia de quienes se ama; iluminados por el ejemplo de Moisés ben Maimón, que permaneció fiel al Altísimo bajo el disfraz triste del mahometano —se le vio, tocado con un turbante, asistir a los oficios en las mezquitas, proclamar la misión del falso profeta—, decidieron probar fortuna, arriesgándose por un camino proceloso: la conversión fingida. ¡Nunca lo hicieran! Espiados, vigilados, objetos de un inexorable ojeo que los empujaba hacia las hogueras inquisitoriales, fueron aflojando sus lazos con los ritos del pueblo ausente, disgregándose, sin conseguir con ello sino cambiar de martirio: su sangre santísima fue considerada maldita; aun mezclada —pero, ¿acaso se mezcla el agua con el aceite?—, era tenida por transmisora de perdición y muerte, por una mancha demoníaca que ni el sometimiento más estricto a las normas del catolicismo, ni el refrendo y personal ilustración de las ideas más aberrantes de éste podían borrar, por un baldón que acarreaba la segregación, el torpe desprecio, la expectativa de una muerte cruel, siempre en el horizonte. Los abuelos de mi padre se contaban entre quienes tomaron ese camino cuya meta celaban las brumas de una esperanza incierta; las penas de mi adolescencia, de mi juventud, fueron el único y lamentable bagaje con que la estirpe en la que me inscribo llegó al término de su vagabundeo —Toledo, Córdoba, Sevilla: siempre huyendo del recuerdo de los otros— por las hostiles tierras de España.

Yo nací en Granada, en el sur soleado y umbrío del

antiguo Al-Andalus, en una ciudad encantada cuyo aroma —flores silvestres y cipreses, nieve de montaña y agua de cristal— no podré olvidar mientras viva. Hijo de un médico renombrado y proscrito, con un venero de clarísima sangre hebrea, y de una dama noble, pero sin fortuna, que encontró en el que luego sería mi padre el medio menos desagradable de no ver agostarse su vida en un convento, pasé mi niñez, aislado del mundo, en un carmen solitario, en el Albaicín, donde la enemiga de los cristianos viejos había confinado a mi familia. Mi padre, imprescindible por su profesión, pero despreciado y segregado a causa de su ascendencia, únicamente salía de casa para atender a sus enfermos; mi madre, maculada a los ojos de los más por lo que éstos juzgaban una boda infamante, descaecía en su soledad —pues no se aventuraba por las calles sino para visitar la más cercana iglesia—, y pronto murió, contando yo apenas cuatro años; fui, pues, un niño aislado y triste, en manos de ayas, nodrizas y preceptores, de cuyo dominio áspero no me libraba —y ello, por pocas horas, y solamente a partir del momento en que alcancé uso de razón —sino mi padre, viejo sabio dolorido, lector infatigable de misteriosos infolios, que administraba con parsimonia su escondida ternura. Apenas había yo cumplido los ocho años, cuando una mañana —todavía oigo el gorjeo de los pájaros en mi ventana— entró sigilosamente en mi alcoba, me sacó del lecho y, sin decir una sola palabra ni permitirme que yo hablara, por señas me ordenó que lo siguiera. Así lo hice. Recorrí, pues, a su zaga, pasillos y estancias vacías, bajé escaleras, y acabamos encerrándonos en la bodega. Era un lugar tenebroso, húmedo, cargado de efluvios que me sofocaban. Iluminados por un velón, sostenido por él con brazo extendido y mano temblorosa, nuestro recorrido por los vericuetos de la cueva duró largo rato —o al menos así me lo pareció—, no deteniéndonos hasta que alcanzamos una pared de ladrillos que, a juzgar por su grado de deterioro, debía haber sido levantada antes aún que la vieja casa en que vivíamos. Él, entonces, dejó el velón sobre el suelo —su sombra se alargó desmesuradamente por el muro, hasta fundirse con las tinieblas que nos cercaban— y, dándome las espaldas, manipuló los ladrillos, sacó uno de ellos, lo depositó cuidadosamente sobre el piso, metió la mano en el hueco que había quedado, y, sacando de allí un libro, me lo entregó, procediendo luego a colocar el ladrillo en su sitio. El volumen, de gruesas tapas de cuero, trasminaba a humedad y a flores secas, a papel viejo. Yo lo apreté contra mi pecho y seguí a mi padre, que, como guiado por el velón, se alejaba a grandes pasos —el corazón se me desbocaba—, y, a pesar de que no dejé de tropezar con cuba ni botella alguna, conseguí que no se me distanciara, de tal forma que, cuando él acabó por dejar el velón sobre uno de los peldaños de la escalera, a la altura de su cabeza, yo ya estaba a su lado. «Nadie debe ver jamás este libro», me dijo en voz baja, casi inaudible. «Es tuyo y mío, y será para ti y para tu hijo cuando yo me muera. Estudiaremos en él todos los días. Con secreto. Habla de nuestros padres y de Dios. Mira.» Y abrió el volumen, con respeto exquisito, por su primera página impresa, y, posando el índice de la mano derecha sobre el papel enmohecido, añadió, con los ojos muy abiertos: «Está escrito en la lengua sagrada. Es un libro santo. Lo leerás, cuando yo te enseñe a hacerlo, con temor y reverencia.» Dos horas después —dos horas que pasé junto a mi padre, en su gabinete de trabajo, inclinados ambos sobre el desportillado volumen—, salí al jardín, a trompicones, como si estuviera atufado, y expuse mi cuerpo al agua y el viento.

Llovía. Llovía como si se hubieran abierto todas las esclusas del cielo. El agua, cayendo a raudales, formaba ante mí una cortina que mi mirada no podía atravesar. Las gruesas gotas, proyectadas con furia, golpeaban mi cara, mis manos. Pero yo no prestaba atención a nada. A tientas, cegado, dolorido, avancé por los caminos que surcaban el jardín, tropezando con los arrayanes, pisoteando las flores, esquivando a duras penas los troncos oscuros de los árboles, guiado sin yo advertirlo por el rumor ininterrumpido de la fuente que ocupaba el centro del jardín, ante la que me detuve. Y entonces advertí que a las aguas caídas del cielo, a las aguas turbulentas del Darro, a las aguas mansas de las acequias y a las retumbantes de las cisternas, y a las del surtidor de la fuente, y a las de su taza, cubiertas de hojas sobre las que repiqueteaban las de la lluvia, se unían mis lágrimas, incontenibles, tiernas, inagotables.

Había cesado de llover. O mejor, lloviznaba apenas. Y yo, estremecido por el frío y por las visiones sin imágenes que me aturdían, el ánimo removido por canciones desconocidas, crucé el jardín, hasta llegar al mirador, y acodado en la balaustrada, alcé los ojos y vi —vi realmente por vez primera— el rojo palacio árabe, en las alturas, y sobre él, un cielo sombrío, parecido en todo a una piedra cárdena, con vetas, y oí cómo el aire agitaba las hojas metálicas de los árboles, y cómo tintineaban éstas, y Jerusalén dejó de ser para mí una mera palabra, y me sentí judío, judío, judío, y casi perdí los sentidos cuando el perfume de no sé qué flores nunca olidas me envolvió.

Pasaron los años —cinco o seis, tal vez, durante los cuales mi vida transcurrió dividida entre el aprendizaje de los saberes profanos, bajo la dirección de preceptores cada vez más doctos, y la exploración paulatina de la tradición de mis mayores, en el gabinete de trabajo de mi padre, que vigilaba mis progresos y me apartaba del error, y en el jardín, crepuscular o nocturno, con la sola guía de mi imaginación—, y así llegó la hora en que, púber y abocado ya a la adolescencia, se impuso la necesidad de que completara mi formación con vistas a asegurarme un puesto en el mundo, el lugar que me correspondía en la sociedad de los hombres. Aunque sabía que el momento de abandonar mi casa se aproximaba, la noticia de que ya había llegado me sorprendió y me acongojó: no pude evitar el llanto cuando mi padre, saliendo en mi busca al jardín desde donde yo contemplaba cómo una nube, solitaria en el cielo color índigo de aquella noche de fines de verano, se transformaba de dragón en árbol, y de éste, en ciudad con murallas almenadas, me comunicó con brusquedad y con velada tristeza, que había determinado enviarme a la muy famosa universidad de Salamanca, que mi alojamiento en aquella lejana ciudad ya había sido reservado, y que mi marcha tendría lugar en un plazo no superior a quince días.

¿El viaje? Un mal recuerdo. Me acompañaba un criado, de sonrisa socarrona y mirada aviesa, cuya única misión parecía ser impedir que me recogiera en mí cuando las circunstancias lo hubieran permitido. Hablaba poco, pero siempre a destiempo: apenas comenzaba a olvidarme de las incomodidades que padecíamos —hedor de nuestras cabalgaduras, dos mulas sudorosas y renqueantes, resabiadas al extremo; calor pegadizo, bajo mi capa de grueso paño; monotonía ilimitada de nuestro progresar sin pausa, que ningún accidente del terreno lograba aliviar—, su voz ronca se alzaba, mal modulada, para atraer mi atención hacia algún detalle desagradable avistado en la ruta o previsto por su imaginación. ¡Y en verdad que hubo de los primeros! Así, durante nuestra travesía de la sierra, la aparición de cualquier viajero, de cualquier pastor o monje errante, miembro —quizá— de alguna de las cuadrillas de bandoleros que infestaban aquellos parajes; así, también, una vez en las inacabables llanuras roídas por el sol, el encuentro con campesinos de toscas cabezas de cartón piedra y manos desmesuradas, siempre e inexplicablemente hostiles; así, en fin, el recibimiento de los venteros, inquietante en su torpe servilismo, bajo el que se adivinaba una descontrolada codicia que podía conducirlos al asesinato alevoso, y a nosotros, a una fosa clandestina, tras dolorosa muerte. Y en cuanto a los segundos, a sus ominosos presentimientos de cara al futuro, tampoco mi acompañante se equivocaba: en nuestro recorrido de las ásperas tierras de España se produjeron incidentes insólitos, siempre amenazadores, cuando no terribles, que yo nunca hubiera podido prever —un día, tuvimos que esquivar la agresión de unos soldados vagabundos, enloquecidos por el hambre y el sol; varias veces, nos topamos con cuerpos humanos despedazados, expuestos en las encrucijadas de los caminos para aviso y advertencia de los caminantes; en cierta ocasión, sufrimos la imposición de un desvío, por senderos a trasmano, por parte de clérigos fanatizados que buscaban en nosotros testigos de las extremadas manifestaciones de su piedad malsana, y que azuzaron a nuestras cabalgaduras, con zurriagazos y gritos, hacia una ermita abandonada donde una imagen de la Virgen, con cabello humano, ennegrecida por las moscas, contemplaría con los pintados ojos despavoridos cómo aquellos hombres semidesnudos se azotaban unos a otros las espaldas sanguinolentas entre ayes y mugidos, ante nuestro estupefacto pavor. No es de extrañar, pues, que el pecho se me abriera cuando, tras días y días de pesadilla, las torres de la ciudad de Salamanca se dibujaron de modo imprevisto en el horizonte; ni tampoco, que me apresurara a dar gracias a Dios en voz alta, en una lengua que, para mi suerte —«Es latín», me apresuré, con falsedad, a aclarar—, no fue identificada por mi compañero, cuyas cejas se habían enarcado recelosamente al oír las para él tan extrañas palabras, por haberme permitido llegar sano y salvo, aunque con el alma desolada, a nuestro destino.

Durante los años que siguieron, permanecí en la ciudad casi ininterrumpidamente —sólo en una ocasión la abandoné, para abrazar a mi padre, con quien me reuní en Madrid, adonde había ido para no sé qué asunto relacionado con una herencia—, entregado al estudio, no de la Medicina, cuya práctica despertaba siempre suspicacias, sino de las Leyes, que podía ayudarme a vulnerar las murallas del recelo, y a acceder a círculos sociales mayormente abiertos, no sospechosos a los ojos de los más. Fueron tiempos duros, tristes, en los que tuve que defender penosamente mi derecho a la intimidad frente a los otros estudiantes, tan distintos de mí por todos conceptos, y esforzarme, al mismo tiempo, para que no lo advirtieran —adquirí, así, el hábito de anularme a sus ojos, de acordarme superficialmente a sus groseros caracteres, a fin de ser visto mínimamente—; tiempos de zozobra, en los que evité toda manifestación de curiosidad, que hubiera despertado la irritación de mis profesores, cuando no su aversión o su odio, pero sin dejar traslucir mi mortal desgana frente a sus enseñanzas: haciéndolas mías pasivamente, sin poner en entredicho, con mis conocimientos adquiridos, los suyos magistrales; tiempos —¡ay!— de sobresalto: bastaba con que alguien me mirara con insistencia cuando iba de camino a la universidad; con que, inadvertidamente, me sobresaltara —las bascas agitándome el estómago— al toparme con un trozo de tocino sobrenadando en la sucia sopa servida en algún mesón; con que la mirada se me fuera del sacerdote que oficiaba ante el altar, durante las interminables misas dominicales, atraída por el movimiento extemporáneo de fervor de un anciano semidemente o por el súbito grito de un niño, asustado por la oscuridad del recinto y por el silencio incomprensible de los allí congregados; o con que alguien llamara con violencia a una puerta vecina, por la noche, o resonaran pasos apresurados en la calle, al amanecer, para que la imagen de los servidores del Santo Oficio se alzara ante mí, deformada por mi espanto, sin cesar creciente, y la sangre dejara de correr por mis venas, y mi corazón, de latir, y un pánico abyecto erizara mis cabellos. Al lado de esto, ¿qué peso atribuir a algunas músicas encantadas, escuchadas como al desgaire durante mis paseatas por las orillas del Tormes, al mediodía; o a los cielos desmesurados, de carmín oscuro, gravitando sobre la ciudad en sombras, al anochecer; o a la frescura de la mañana, penetrando en mi habitación, tras muchas horas mías de vela sobre los libros, con un vientecillo ligero que agitaba las cortinas, al alba? Ninguno, lamentablemente. Ninguno.

Al fin, concluyeron mis estudios —aún bendigo el momento en que pude comunicar esta feliz noticia a mi padre—, y, siguiendo las instrucciones recibidas de él anteriormente, y provisto de una carta suya de recomendación, no tardé en abandonar Salamanca y ponerme en camino hacia Madrid, donde esperaba encontrar al personaje a quien iba dirigida la misiva paterna y poder exponerle mi deseo de entrar a su servicio. No hallé al duque —pues de un duque se trataba— en la capital, pero no por ello dejé de ser atendido: uno de sus intendentes, hombre de edad provecta, me recibió y, movido por la convicción de que así complacería a su señor —yo era alto, esbelto, de buena presencia— o por la idea de que, dada mi insignificancia, yo nunca podría ser una carga para éste, me inscribió en la lista de los hombres de su casa que habrían de reunírsele en Italia, en Nápoles, dos meses más tarde. ¡Qué alegre me sentía yo el día en que, diciendo adiós a Madrid, nos pusimos en marcha hacia Valencia, donde habríamos de embarcarnos! Éramos siete, y, a pesar de que, por formar parte de la comitiva dos dueñas, el viaje amenazaba con prolongarse, conseguí sofrenar mi impaciencia, granjeándome la amistad de todos con lo que estimaron ser mi buen natural: sonrisas y pequeñas atenciones a las mujeres; muestras de deferencia hacia los hombres, mayores a mí en edad, cualquiera que fuera su rango. Y así, en la mayor armonía, apreciado yo por unas y otros, llegamos a nuestro destino.

El mar me asombró. Las descripciones que conocía de él no hacían justicia a lo que, desde el primer momento, consideré como la base sobre la cual se asentaba su grandeza: una capacidad de renovación inusitada, que lo convertía en paradigma de la vida y del alma. Fue, así, con fervor, como me entregué a sus fuerzas, pisando alborozado las tablas sonoras de la cubierta del navío sobre el que habríamos de recorrerlo, de trabar conocimiento —quizá— con su indómita violencia. Esta posibilidad, sin embargo, no pesaba en mi ánimo cuando, con un movimiento casi imperceptible, comenzamos a alejarnos del muelle: yo sólo pensaba entonces que por fin escapaba de lo que, cada vez con más claridad, me representaba como una tumba maloliente, plena de podre y carroña, cargada de gases corruptos, y, por ello, acogí agradecido la posibilidad de vomitar que me brindaba el cabeceo de la nave al apartarse de la costa, dado que así —intuí ciegamente— me purificaba de los productos de una tierra que aborrecía, me liberaba de aquello que mantenía con vida a los hombres de una estirpe odiada.

Arribamos a Nápoles, y allí, como por ensalmo, el mareo, que me había acompañado durante toda la travesía, desapareció. Desgraciadamente, sin embargo, no pude aprovechar esta dichosa circunstancia para recorrer la ciudad y contemplar sus bellezas, pues un mensaje del duque, llegado con dos días de antelación a nuestro arribo, nos comunicaba que, sin demora, nos uniéramos a él en Roma. De Nápoles, así, sólo pude llevarme una imagen confusa: la de una población alborotada, febril y alegre, en la que todos los colores del arco iris se combinaban con el blanco de la cal, entre el sordo retumbar del agua en los muelles y la gravitación sonora del cielo abovedado. ¡Qué más daba! Otras maravillas —estaba seguro— saldrían a nuestro encuentro.

Si en los meses que siguieron me hubieran preguntado cuáles de aquellas maravillas me habían impresionado más, yo no habría sabido qué contestar: tan agitado estaba mi ánimo por su sucesión ininterrumpida. Hoy, en cambio, sí que podría, y las reduciría a dos: ante todo, la libertad reinante por doquier, que distendía los rasgos de los viajeros con los que nos cruzábamos en nuestro camino, y que parecía extenderse al paisaje, tan vario y riente; y luego, tras muchos días de marcha nunca fatigosa y siempre —por lo menos, para mí— alborozada, el surgimiento de Roma entre los pinos, la ciudad soleada entrevista desde una altura umbría, semejante en todo al sonido de un címbalo cuyas cuerdas hubieran sido golpeadas —una vez tan sólo— con prudencia y sensibilidad inauditas.

¡Ay! Yo estaba destinado a no conocer Roma, a no verificar la existencia de toda aquella hermosura que la visión panorámica de la ciudad me había hecho presentir, hasta dos meses más tarde: dos meses que pasé enclaustrado en el palacio del duque, intentando vanamente entrar en contacto con él o, al menos, que alguno de sus servidores me asignara una función cualquiera que diera sentido a mi estancia en aquel lugar —lugar admirable, por otra parte, que comencé a explorar no bien se alumbró en mi ánimo la certeza de que la incierta situación en que me encontraba se prolongaría indefinidamente: reinaba tal orden en la disposición de las masas de aquel edificio, cada una de sus partes constitutivas se ajustaba con tal armonía a las dimensiones del cuerpo humano, el espacio se estructuraba con tal orden en él, que la imaginación, sosegada, parecía concentrarse en sí misma, prestando a todo aquello que penetraba en el alma por los sentidos un ropaje regio, que lo transfiguraba—. Mis días transcurrían, por ello, entre idas y venidas, pronto sin objeto: subía y bajaba escaleras repetidamente, recorría pasillos, me aventuraba a penetrar en las cámaras cuyo acceso no me había sido vedado de manera explícita y me demoraba en aquellas que estaban abiertas a todos, deambulaba por los patios interiores, y, en fin, contemplaba con morosidad —recostado sobre el antepecho de alguna ventana— la agitación y el bullicio que, a toda hora del día y hasta bien entrada la noche, daban animación y vida a la plaza en que se desplegaba la fachada del palacio.

Por fin, una tarde, me decidí. Sí, abandonaría por unas horas mi encierro; aunque no sabía si estaba autorizado a hacerlo, vagabundearía por calles y callejas, guiado únicamente por mi curiosidad; buscaría las perspectivas asombrosas, los edificios admirables que mi imaginación me había hecho presentir en el espectáculo remoto de la ciudad vislumbrada desde el camino, a mi llegada. La experiencia, al principio, me decepcionó: yo esperaba encontrar esplendor y orden, y únicamente hallé confusión y cansina opacidad, la barahúnda del hambre, la decrepitud de la miseria. Pero no me desanimé. Y seguí caminando. Y mi entereza se vio, por último, recompensada. Pues, sin que nada me hubiera hecho prever su proximidad, una construcción ciclópea, de piedra marchitada por los siglos, surgió ante mis ojos, que se desorbitaron de pasmo, al dar la vuelta a una esquina; y ante ella sentí que, de algún modo, su contemplación justificaba mi estancia en la ciudad, y que, hasta cierto punto, admirarla me compensaba de las tristezas y decepciones de la vida.

Al atardecer, me encontraba en las afueras de la ciudad, al pie de una colina, y, a pesar de lo avanzado de la hora, no pude reprimir mi deseo de subirla. Aunque la ladera era suave, el cansancio producido por el largo paseo fue causa de que me costara alcanzar su cima, así que, una vez en ella, me tendí con los ojos cerrados sobre la fresca hierba que la cubría, y sólo cuando advertí que estaba a punto de quedarme dormido —¿o me dormí y me despertó el resonar de alguna esquila?—, me resigné a poner término a mi reposo, incorporándome penosamente sobre mis piernas lastradas por la fatiga. El aire fresco, que aspiré a plenos pulmones, me revigorizó, devolviéndome la vitalidad, y, embargado por el perfume de unas flores desconocidas que parecía haber surgido con la brisa que alborotara mis cabellos en pocos instantes, giré sobre mis talones para dar cara a ésta, advirtiendo, sorprendido, la existencia de una tapia a pocos metros del sitio donde me hallaba. No era alta, pero sí larga, como pude comprobar tras caminar un rato en busca de una verja o de una hendidura en el muro a través de la cual poder echar una mirada a aquello que tan celosamente protegía. ¿Un jardín? No cabía la menor duda. Por ello, no fue tanto la curiosidad como la fuerza de la inercia lo que me indujo a no detenerme hasta dar con una brecha en la tapia, por la que me asomé al interior del recinto. Se trataba, en efecto, de un jardín, sumido ya en sombras; de un jardín con blancas estatuas, a juzgar por el pie de piedra, descomunal, que, violentándome la vista, podía atisbar, mediante una torsión extremada del cuello, en el borde mismo de mi ángulo de visión, sobre lo que debía ser un pedestal de piedra tallada. Era un pie de hombre, bellísimo, cuyo galbo perfecto no podría ser descrito con palabras. Un pie hermoso más allá de toda ponderación. Tan admirable, que decidí no abandonar aquellos lugares —y ello, a pesar de que me exponía a peligros que yo estimaba innúmeros, dada la soledad del paraje y la aproximación creciente de la noche— antes de haber visto el cuerpo, quizá también desnudo, que sustentaba.

A pocos metros de la tapia había un árbol, no muy grueso —pensé que podría abarcar fácilmente su tronco con los brazos—, que se combaba, túrgido, hacia los cielos. Sin pensarlo dos veces, me dirigí hacia él, y, tras inspeccionarlo de modo somero, y descubrir que presentaba nudos que podían ayudarme a escalarlo, comencé a hacerlo. Me detuve: la cabeza, tocada con un casco, emergía por encima del muro. La miré con morosidad y, apoyándome precariamente en una excrecencia de la corteza —cuyas rugosidades laceraban mis manos—, ascendí un poco más —ya distinguía las poderosas espaldas de la estatua—, repetí luego la operación, tomando como punto de apoyo otro nudo, y, con un último impulso, alcancé la rama más baja del árbol, sobre la que me senté, febril, a horcajadas, y desde la que pude, por fin, contemplar en su integridad el cuerpo perfecto del guerrero —blandía una corta espada— que había motivado mi azarosa subida: fiera cabeza, cuello rotundo, anchos y cuadrados hombros, espaldas inabarcables, cintura breve, nalgas de curva purísima, potentes muslos, pantorrillas musculadas —como los brazos— y pies de talones redondos y de plantas —sólo se veía una, la de la pierna derecha, atrasada con respecto al eje del tronco— estrechas. ¡La belleza abisal del cuerpo humano surgía por primera vez ante mis ojos! Oí un susurro sobre mí. El tronco del árbol que me sostenía, comenzó a temblar. Alcé la cara. Y vi que la copa, en el despliegue lujuriante de sus nervudas ramas y de sus hojas innumerables, era agitada por el viento con obstinación maníaca.

Bañada por la luz violeta del crepúsculo, la estatua se levantaba sobre un fondo de verdor inacabable. El jardín, en uno de cuyos bordes perpetuaba la actitud —mezcla de amenaza y de contención gentil— con que fue concebida, y que tan idónea resultaba para el despliegue de su viril hermosura, se extendía a su flanco derecho, siguiendo un trazado —geométrico quizá— que, aun desde la altura donde yo me encontraba, resultaba incomprensible: los altos macizos, de un color sombrío, delimitaban caminos que se cruzaban, que se quebraban en repetidas vueltas y revueltas, que cambiaban incomprensiblemente de dirección y que —al menos, así me lo pareció— no llevaban a ninguna parte, bruscamente cortados por un macizo enigmático, perpendicular al camino que ante él se detenía. Y luego estaban las estatuas, las otras estatuas, bultos fantasmales diseminados por el jardín —había uno, representando a una muchacha, que, por su relativa proximidad al lugar donde me encontraba, yo hubiera podido contemplar con detalle de no ser porque el guerrero se interponía, pero como estaba cubierta, según entreví, por una túnica, renuncié a proseguir mi escalada hasta una altura desde la que me hubiera sido dado admirarla sin estorbos—, simulacros de vida en mármol de velada blancura. ¿Qué orden había determinado su instalación en los puntos en que se alzaban, qué principios habían presidido su distribución por la superficie —compartimentada incomprensiblemente— de aquel vergel melancólico? Por más que me obstiné en ello, no pude descubrirlo. ¿Marcaban, mediante un entrecruzamiento sutil de referencias, una dirección a seguir, o tenían como finalidad desnortar a quien las tomara por signo y guía? Súbitamente, comprendí que me encontraba ante un laberinto vegetal, y un a modo de pavor sagrado me hizo descender con apresuramiento del árbol desde cuya más baja rama lo contemplaba.

A partir de aquel día —o más concretamente, de la mañana que siguió a éste—, mis vagabundeos por el interior del palacio del duque tuvieron, por fin, sentido: habiendo sorprendido en uno de los patios a un jardinero que, abrumado por el calor del mediodía, se refrescaba, semidesnudo, con el agua de una fuente —la recogía de la taza con las manos formando cuenco, proyectándola luego sobre su pecho, al tiempo que sus pies chapoteaban en la que, desbordada por la aportación incesante del surtidor, iba cayendo al receptáculo inferior del ingenio—, y habiendo descubierto que sus nervudos hombros guardaban una semejanza indudable con los de la estatua del jardín, me vino la idea, mientras observaba las huellas que sus pies descalzos iban dejando en las losas del patio a medida que él se alejaba de la fuente, que me bastaría con acechar a los hombres del palacio, esperando el momento en que pusieran al descubierto alguna parte de su cuerpo, para hacer revivir en mi imaginación el del guerrero al que debía la iluminación que me había mantenido en vela durante toda la noche precedente. ¡Cuántos recelos no iba a despertar mi desconcertante comportamiento! ¡De cuántos incidentes ambiguos no iba a ser causa mi extraña conducta! ¿Acaso no tuvo su origen en mi avidez visual la experiencia carnal que de tan decisiva manera —aunque por vías indirectas— iba a marcar mi vida?

Fue una semana después de mi descubrimiento del jardín laberíntico. Vencida ya la tarde, yo vagaba por los más apartados corredores del palacio, y a mi paso, una puerta se abrió, dejando asomar la cabeza de una dueña con la que yo me había cruzado durante los días anteriores con una frecuencia que, a juzgar por los cambios casi imperceptibles que fui observando en su comportamiento —tardó en fijarse en mí; luego, cuando lo hizo, pasó de la curiosidad al interés, y de éste, a la inquietud, según probaban el modo como bajaba los ojos, no bien me veía, y la forma en que trataba de ocultar el embarazo que le causaban sus manos desocupadas—, debió juzgar extraña. Era una mujer de mediana edad, muy pálida bajo el casco bruñido de sus cabellos negros, cuya situación en la jerarquía palaciega yo ignoraba: no conocía su estado ni su función, aunque, a juzgar por su elegancia severa, por una altanería que sólo se dignaba manifestarse mediante un enarcamiento permanente de sus finas cejas, resultaba indudable que se trataba de una señora principal. Yo reaccioné ante su sonrisa —pues me sonreía— con un gesto de sobresalto que la divirtió hasta el extremo de tener que ahogar una carcajada con su diminuto pañuelo de batista, y, al ver que ella, una vez vencida ésta, me hacía seña para que la siguiera, abriendo del todo la puerta a fin de dejarme paso, entré en la estancia en que se hallaba. Se trataba de un dormitorio fuera de uso —no se veía ninguna prenda de vestir, ni objeto alguno de uso personal; el orden con que estaban dispuestos los escasos muebles era excesivo—, dominado por un enorme espejo de marco recargado, ante el que la dama se detuvo. «Estoy sofocada —murmuró sin mirarme, atenta tan sólo a su reflejo—. ¿Cómo te llamas?» Se lo dije, pero ella no atendió a mi respuesta, y, acompañando sus palabras con un ademán gentil, exclamó: «Suéltame estas cintas, ¿quieres?» Y repitió: «Estoy sofocada.» Torpemente, la libré de la opresión que sofocaba su pecho, aflojándole el corpiño, y luego, apartándome para que mis manos no la rozaran, la contemplé en el espejo. Durante lo que a mí me pareció un corto instante. «¿Qué esperas?», preguntó. Yo me aparté aún más, hacia la salida, y cuando ella se dio vuelta, enfrentándome, volví a retroceder. «Está bien —dijo—. Puedes retirarte.» Cerré la puerta tras de mí. Pero no con tanta rapidez como para no oír que la dama añadía: «¡Imbécil!» Y su voz temblaba de violencia contenida.

Hasta dos días después no volví a verla, quizá porque evité cuidadosamente la zona del palacio donde la anterior escena se desarrollara, y su aparición a hora tan tardía —era ya noche cerrada, después de la cena— y en un lugar tan alejado de aquel donde yo la había visto hasta entonces —estaba asomado a una ventana de la fachada posterior del edificio— me sobresaltó. Ella no dijo nada, ni sonrió tampoco: se apoyó junto a mí, en el alféizar, y dejó planear su mirada sobre la silenciosa calle oscura. «¿No tiene frío?», pregunté cuando se levantó el viento, al sentir cómo se estremecía. Su mano buscó la mía. Yo besé su mejilla. «Ven», me dijo entonces. Y se apartó de la ventana. Nuestros labios se juntaron, no sé si por decisión de ella o por flaqueza mía —las piernas me temblaban; yo, extrañamente, no era dueño de mí—, y, como en sueños, me vi luego marchando a su lado por salones que no conocía, por escaleras ignoradas, camino —supe después— de la cámara donde tuviera lugar la escena de las cintas.

Esta vez, no tuve yo que aflojárselas: apenas la puerta se cerró tras de nosotros, ella encendió una vela, que depositó en la mesa frontera a la cama, se soltó los cabellos, y, sin dejar de mirarme a los ojos, se aflojó con un tirón experto su corpiño, dejando que sus pechos emergieran, espuma blanca sobre el verde brocado. Hundí mi cara en ellos, y exhalé —creo— un gemido, que la carne, perfumada y desbordante, delicadísima, ahogó. Ella susurró mi nombre, y, tirándome de los cabellos de la frente, me forzó a mirarla a los ojos. «¡Te quiero!», dijo. «¡Te quiero!» Pero yo ya no la oía: mis labios cercaban —escarlata sobre el rosa oscuro— uno de sus pezones, y mis dientes se cerraban sobre la eréctil pulpa carnal. «¡Ay!», se quejó ella. «¡Ay!» Y mi boca buscó la suya; y al juntarse, ambas se abrieron; y su lengua, musculada, rozó la mía, que se endureció y se hinchó, y midió sus fuerzas con la de ella hasta conseguir que cediera; y entonces, mientras la saliva resbalaba hasta mi barbilla, mis dientes mordieron la punta de su lengua abandonada —gusté el sabor acre de su tibia sangre de mujer—, y, crispados, caímos juntos, los palpitantes cuerpos entrelazados como serpientes, sobre la cama, que crujió despavorida. «¡Te he de matar!», musité con violencia abyecta. Y ella, con los ojos vidriados, tirándome de los cabellos: «¡Sí, sí! —sus manos presionaban en mi pecho, para hacer que me incorporara—, ¡ahora, ya!»

Ella estaba extendida sobre la cama, boca arriba, y yo de pie. Ella tenía las piernas colgando, las faldas y las enaguas levantadas, los blancos muslos y el velludo pubis al aire, y yo me afanaba para desprenderme de mis calzas, para dejarlas caer —al menos— sobre mis pantorrillas, aunque me estorbaran el movimiento de las piernas. Ella miraba hacia mí, y luego hacia el cielorraso, y de nuevo hacia mí, y yo contemplaba su pecho desnudo —que ella se descubría maquinalmente cada vez que la tela tensa de su corpiño se los tragaba— y me sumía en la visión del triángulo que formaban sus muslos y su grueso vientre, tan negro, tan enmarañado y rizoso, no dedicando sino furtivas e insuficientes ojeadas a la manipulación infructuosa de las calzas por mis manos. Ella suspiró y abrió las piernas, y yo advertí que la tela que me estorbaba se rasgaba entre mis dedos. Ella separó los muslos aún más, y la masa compacta del vello de su pubis se dividió en dos, y dos labios palpitantes, rosados, surgieron y, con un leve ruido de ventosas, se abrieron ante mis ojos, en un movimiento que me permitió ver cómo, simultáneamente, emergían las curvas diminutas y gemelas de sus nalgas, y se cerraban, silenciosas, sobre el orificio rectal. Yo, ¡ay!, contuve entonces, a duras penas, un grito: mi miembro viril, hinchado y duro, tenso, curvado, descomunal, parecía desgarrarse bajo el incontenible impulso de mi deseo. Temblando, ella, que se había incorporado, lo tomó entre sus manos —mi dolor se acentuó— y tiró del prepucio hacia abajo, para que saliera a luz el monstruoso glande, pero sólo consiguió arrancarme un aullido. «Tienes que cortarte esto», susurró antes de que su boca se cerrara sobre la parte superior de mi pene —cuyas venas palpaba con mano leve, para no coartar sus latidos— y de que yo gritara, desesperadamente, de nuevo.

Amanecía apenas cuando salí del palacio. ¡Tenía que encontrar a don Isaac Abravanel! ¡Él sólo podía solucionar mi problema! Aunque, a decir verdad, yo no estaba seguro de que así fuera. ¿Por qué iba a tratarse de un médico? ¿Acaso mi padre no tenía conocidos en otras profesiones? Deseché mis dudas, sin embargo, y apreté la carta contra mi pecho —la carta en que, era de suponer, mi padre le recomendaría que me ayudara en caso de necesidad, que me librara de acechanzas y peligros, y de la que hasta entonces yo no había pensado hacer uso—, dirigiendo mis pasos hacia la lejana judería de la ciudad, al otro lado del río. El anciano —ya lo era, a pesar de que aparentaba no haber traspasado las fronteras de una dorada madurez— escuchó en silencio cómo yo farfullaba unas explicaciones que no debió entender, abrió y leyó la carta que le entregué luego, me abrazó a continuación y me presentó a su familia, siguió con atención —en un aparte— la descripción pormenorizada que le hice de mi caso, salió y regresó en seguida con dos ayudantes, y, encerrándose con ellos y conmigo en una estancia cuya gruesa puerta impediría al resto de los habitantes de la casa oír mis posibles gritos, dispuso sobre una mesa sus instrumentos de cirujano —pues, felizmente, lo era—, hizo que le mostrara mi miembro, lo examinó con meticulosidad y, después de haber ordenado a los otros dos hombres que me sujetaran, procedió a cortarme el prepucio —un desmayo sofocó mi dolorida queja—, lo que hizo con limpieza.

¡Ah, no quiero recordarlo, pues, cuando lo hago, el dolor, irresistible, de nuevo me domina! Y no sólo aquel —brevísimo, pero eterno— que me hizo desfondarme durante la operación, sino también, y sobre todo, aquel otro, persistente, que me persiguió luego, durante una semana, y que yo tuve que dominar para no delatarme ante las gentes del palacio, las cuales hubieran visto en mi circuncisión un acto diabólico y apóstata, y no —como yo lo veía en aquellos momentos— un acto de liberación mediante el cual acceder al paraíso del placer carnal.

¿Fuimos espiados, la dama y yo, alguna de las dos noches en que nuestros cuerpos —el mío, al principio, sin advertirlo— se buscaran, con tan decepcionante resultado? Muy probablemente, a juzgar por la desaparición de ella, a la que no volví a ver después, y a la que tan sólo habrán visto desde entonces —para desesperación suya— monjas y eclesiásticos, y, con menos probabilidad, algún miembro caritativo de su familia. Tuve, pues, que buscar en otra, en otras, la satisfacción de mis deseos, los cuales, en cuanto cesó el dolor que me atenazara tan larga y cruelmente, crecieron y se multiplicaron, cobrando una nitidez de perfiles, una corporeidad, amenazadoras: yo tenía que desfogarme, que satisfacerlos, o enloquecería.

La oportunidad para ello me la brindó, poco después de que mi herida cicatrizara, un servidor del duque —como yo, aunque de clase inferior—, que, habiendo advertido lo demudado de mi semblante y la febrilidad con que mi mirada se prendía del talle, de la grupa y del seno de las mozas de servicio, y aun —lo que era peligroso— de las más altas damas de palacio, y habiendo interpretado certeramente estos signos —por otra parte, tan fácilmente descifrables—, me propuso que lo acompañara una tarde a visitar ciertos barrios romanos que, pensaba con justeza, yo desconocía. Acepté enfervorizado, y aquel mismo día, al ponerse la tarde, me encontraba con él, y con unos amigos suyos que se nos habían unido, sentado ante la más ancha y larga mesa de una hostería de las afueras de la ciudad. Hacía calor, aunque del Tíber subía una brisa que, penetrando por la puerta y las ventanas abiertas del establecimiento, nos refrescaba a intervalos. Pero yo, exaltado por el vino, no lo advertía. Las canciones de mis compañeros, por otra parte, me iban hundiendo de modo paulatino en un estado de ensoñación del que no hubiera salido de no ser por la llegada, celebrada con risas y gritos —míos, sorprendentemente, también— de tres mujeres jóvenes que, con ágiles movimientos de cadera, se abrieron, a empellones, un hueco en nuestros bancos. Entre mi cuerpo y el de mi vecino, se sentó —aún no sé cómo— una de ellas: una moza de carnes prietas, morena y fresca, cuya cabeza pronto reposó sobre el pecho de aquél que, habiéndole pasado un brazo sobre los desnudos hombros, manoseaba poco después su seno derecho con desvergüenza. Aparté los ojos de ambos, y alguien me gritó: «¡Bebe!», llenando de negro vino mi vaso, que vacié de un golpe. Y ya me disponía a llevármelo de nuevo a los labios —pues una mano amiga velaba para que nunca estuviera vacío—, cuando sentí un mordisco leve en el lóbulo de mi oreja izquierda, y, en el pabellón de la misma, el aliento de fuego de la muchacha, que, liberada del abrazo del que fuera mi vecino, me mordía, y entre las piernas, la presión de sus dedos expertos, y en todo mi cuerpo, un ardor inextinguible. «Nos vamos», dijo. Y yo me levanté con ella.

Con temblor y sofrenada ansiedad rememoro aún aquella hora, turbadora entre todas, en que por primera vez conocí mujer. Me vco, pálido el semblante, bajando al sótano sórdido donde se encontraba su jergón, contemplando su inesperada desnudez total, descubriendo mi cuerpo a sus miradas. Oigo el fluir de la sangre en mis venas, el susurro de las frazadas bajo su cuerpo inquieto, el deslizarse de mis pies desnudos sobre las losas. Siento —¡sí, aún lo siento!— el cabeceo monorrítmico de mi virilidad desmesurada, y el orgullo en que el pasmo de la mujer ante dicha desmesura me sumiera. Y desde esta altura —allí descubrí, reflejada en el espejo de su admiración, la figura del macho que yo era—, caigo, hoy todavía, con un gemido: al contacto con el suyo, toda sensibilidad pareció huir de mi cuerpo, y con ella, desapareció la fuerza que tensaba insoportablemente el músculo en que se gloriaba mi cuerpo. ¡Qué vergüenza, qué vergüenza! ¡Y cómo me sigue doliendo este recuerdo! «¿Qué te pasa?», preguntó ella, el miembro fláccido entre sus dedos. Mi respuesta fue aplastarla bajo mi peso, abrazarla con una violencia que hizo crujir sus huesos, patear sus pies: hasta hacerle llorar. «¿No te gusto?», musitó, sorbiendo con la nariz, como si fuera una niña. Yo me había incorporado, y, erguido en el suelo, miraba con fijeza sus anchos pies, uno de cuyos dedos estaba raramente engarabitado. «¿Te repugno?», preguntó con voz temblorosa, mientras trataba de ocultar su dedo deforme. Caí de rodillas y se lo besé; y luego, a pesar de sus protestas, el pubis, maloliente, impregnado de orina; y por último, separando con brusquedad sus muslos, lamí su carne más íntima, tan inocente, y la mordí, llorando, y la mordí, sin escuchar sus quejas —tímidas—, y la besé, y la besé, farfullando como un loco, hasta que advertí que mi miembro me golpeaba histéricamente el estómago, a la altura del ombligo, y, reptando, la cubrí con mi cuerpo. «¡Amor!», dije, «¡amor!» Ayudado por su mano, entré en ella, en su tibieza infinita, y, espoleado por sus talones —que se hundían en mis flancos—, la penetré hasta que mis testículos rozaron su carne estremecida. Abrí los ojos y fijé mi mirada en los suyos, que se entornaron cuando empecé a subir y bajar mi pelvis, en un movimiento de vaivén cada vez más rápido. «¿Así?», pregunté. Ella sonrió y apretó los párpados. Y a poco, gritamos juntos —yo, babeando—. Y no la destrocé, porque ella era frágil y yo la quería.

Siguieron semanas, meses de desenfreno: una sucesión, ininterrumpida en mi memoria, de cópulas cada vez más peregrinas, de borracheras cada vez más dementes, al término de las cuales, no había zona sin valor erógeno en mi cuerpo, ni secreto que yo no hubiera desvelado en el de las mujeres, ni técnica que yo ignorara del esquivo arte del amor, ni —tampoco— vino o licor cuya graduación y aroma yo desconociera. ¿Quién hubiera podido prever entonces que tanto esplendor se apagaría con tan extrema celeridad, que tanta alegría sería sustituida por tanta desolación, y con tan brutal violencia? Nadie; y menos, yo, que, turbado y jadeante, no tenía ojos sino para lo que pudiera reservarme una revelación nueva en el orden del placer.

Los signos premonitorios de la catástrofe existieron, sin embargo, según pude comprobar después de ésta, al pasar revista a los días que la precedieron. Nuestra jactancia, ¿no eludía todo límite? Nuestra arrogancia, ¿no constituía una provocación permanente, imposible de ignorar? Nuestra bravuconería, ¿no amenazaba la seguridad de quienes nos rodeaban, su sentido de la dignidad, su propia estima de sí? A pesar de ello, cuando el acero culebreó, todos se asombraron, y al ver brotar la sangre, el espanto los dominó: Miguel, mi compañero de palacio, aquel a quien yo debía la iniciación a los arcanos del sexo, había apuñalado a un hombre que, en la taberna que nos servía de punto de partida para nuestras correrías, se interpusiera entre él y la muchacha a la cual, con gratuidad obcecada, trataba de abofetear. Alguien gritó: «¡Al asesino!» Y, no sé por qué, yo también salí corriendo. «¡Por aquí!», me dijo Miguel; pero cuando me volví, ya estaba en el suelo. Sus gemidos fueron sofocados por el ruido de los golpes que nuestros perseguidores le propinaban, por la distancia que mi carrera iba estableciendo entre ambos, por los latidos —cada vez más semejantes a campanadas— de mi corazón, y por mis propios quejidos —de pena, cansancio y miedo.

¡Yo estaba perdido! ¡Yo no podía volver a palacio! ¡Yo no tenía dónde refugiarme! Agotado, maltrecho —había tropezado y caído varias veces, lastimándome los codos, las manos, las rodillas—, me detuve, por último, advirtiendo, apenas comencé a serenarme, que me encontraba en el campo, en un paraje desconocido. ¿Qué hacer? Me eché al suelo, junto a unos matorrales, y cuando desperté, ya el sol centelleaba en los cielos.

Don Isaac, a cuya casa llegué dos días después, furtivo, empavorecido, agotado por un errabundeo nocturno —pues, mientras había luz, permanecía escondido en el campo— que no cesó hasta que conseguí dominar mi vergüenza y llamar a su puerta, escuchó la demorada y prolija explicación que yo le hice de mi triste aventura, con rostro inexcrutable. No me hizo pregunta alguna al término de ésta: se limitó a abrazarme. Y así dio comienzo una nueva etapa de mi vida, en su compañía y en la de los suyos. Una etapa durante la cual descubrí un aspecto desconocido de la mujer —yo, que consideraba agotados para mí sus secretos— y recuperé algo que en cuanto individuo nunca me había pertenecido, pero que era mío por herencia y avidez personal: una tradición y un pueblo, un pasado bajo el signo de Dios.

Mi huésped tenía una hija, más o menos de mi edad, en la que no reparé apenas durante los primeros días de mi estancia en la casa. Seria siempre —por lo menos, en mi presencia—, callada, su sonrisa, que vi por primera vez una tarde en que jugaba con sus hermanos, me sorprendió al revelarme que uno de sus colmillos montaba sobre el diente y la muela que lo flanqueaban. Esa imperfección —¿lo era, realmente?, ¿no tornaba más gracioso el despliegue de su dentadura, rompiendo la monotonía de una regularidad que, y aquí tomaba partido sin advertirlo, yo estimaba que hubiera sido exagerada?—, fijando mi atención, azuzó mi curiosidad, la cual acabó por dejarme prendido del menor de sus gestos, de las cambiantes inflexiones de su voz, de su porte y de todas y cada una de las partes de su cuerpo, con lo que, en pocos días, ella se convirtió para mí en un inagotable objeto de fascinación, en el centro inalcanzable y jerarquizador del mundo recoleto y claustral en cuyo seno yo vivía: estancias calmas, soleadas, y pasillos laberínticos; cielo turquesa o negro carbón entre los cipreses ondulantes del jardín; aroma de flores y de pan recién horneado, y ruidos con sordina de la calle tras las tapias; voces discretas, de sonoridad contenida, de la familia; altos luceros y brisa con escarcha de la madrugada. Con el beneplácito de sus padres, pronto me casé con ella, para mi fortuna: capaz de arrastrarme hacia el horizonte último del éxtasis carnal, levitados ambos por la ternura, su delicada presencia, su calmo existir a mi lado, puso orden y sentido en una vida que hasta allí no fuera sino suma de despeñamientos y ascensiones agobiadora. Y así pude, como nunca hasta entonces, centrarme en mí y dar los primeros pasos por el sendero que desemboca ante la puerta, sin ángeles guardianes, del recoleto paraíso de los sueños.

¿Era yo digno de avanzar por él? Ser mestizo, de frontera, ¿tenía derecho a reivindicar una herencia reservada de siempre sólo a los más puros, a los que permanecieron fieles, y de la que, por justicia, estaba excluido el lamentable tropel de los bastardos, entre los cuales me contaba? Incapaz de dar una respuesta a estas preguntas, acudí en busca de ayuda a don Isaac, quien, tras recordarme que ya me las había contestado, sin palabras, al concederme su hija, evocó para mí una historia de la Agadah, según la cual, antes de dar la Tora a Israel, el Altísimo volvió transparentes las matrices de todas las mujeres encintas, a fin de que los fetos pudieran verlo y asumir el compromiso de pagar con sus vidas las infracciones de los mandamientos que sus padres cometieran. «Premio y castigo, salvación y perdición», concluyó, «se encuentran inextricablemente unidos. Si eres pasible de culpa, también estás signado por el triunfo y la gloria. No dudes más.»

¡Oh, culpa feliz! ¡Y benditos sean aquellos frágiles hermanos míos que, en su prisión de cristal, enfrentados con la tormenta y las llamas del Sinaí nocturno, dieron su aquiescencia al dolor y la muerte, pues, gracias a ellos, la culpa de mis padres se convirtió, a través del castigo, en garantía de mi vinculación con la Ley cuyos preceptos conculcaran! Fue, pues, con paso ligero como me aventuré por la senda de la promesa: ávido de lo santo, canté con himnos inaudibles «la procesión hacia las puertas del campo de manzanas que son sagradas». Y, arrebatado por la idea de que en mí residía una de las seiscientas mil almas que recibieron la Tora al pie del monte ígneo, me di a buscar aquella de las seiscientas mil formas de explicar la Tora que, según rabí Moisés Cordovero, me había sido reservada.

Hasta que mi fama como talmudista no hubo rebasado los límites de la ciudad de Roma, no osé posar mis manos —que ya por entonces comenzaban a perder su juvenil firmeza— sobre los libros de la Tradición secreta. Un maestro renombrado fue mi guía por los campos, abundantes en acechanzas y enemigos diabólicos, de este saber peligroso. Llevado por él, bajo la protección de su sabiduría, me inicié en el ejercicio de un pensamiento no conceptual, sino imaginativo, tan contrario a mis hábitos mentales —forjados en el estudio de la Halacha—, que únicamente pude vencer el vértigo y la repugnancia que me producía, recordando que, en su *Dalalat al Hairin*, Maimónides, después de afirmar que el estado profético es la más alta perfección de la facultad imaginativa, sostiene que si un hombre dotado máximamente de dicha facultad la pusiera en actividad plena, y el intelecto agente se desarrollara sobre ella en razón de la perfección especulativa alcanzada por dicho hombre, éste no percibiría, indudablemente, más que cosas divinas muy extraordinarias, no vería más que a Dios y a sus ángeles, y la ciencia que adquiriera no tendría por objeto sino opiniones muy verdaderas.

Yo quería alcanzar esas opiniones verdaderas, vislumbrar esas cosas divinas muy extraordinarias, y, en consecuencia, me sometí a una ascesis de la que, dichosamente —pues, se lee en el Talmud, «el hombre tendrá que rendir cuentas por todo lo que haya visto y no consumido»—, pronto pude librarme, dado que pensar en símbolos e imágenes me resultó, sin demora, tan natural como hacerlo por medio de conceptos. No bien esto fue así, y no bien conseguí acordar las andaduras disparejas de una y otra forma de pensamiento, emociones insospechadas, oceánicas, demasiado intensas para ser personales, me anegaron, abriéndome las fuentes del llanto, e imágenes desusadas, fascinantes, surgidas de lo más hondo del abismo de lo sagrado, poblaron mis noches —está escrito que, a medianoche, Dios penetra en el Paraíso, para pasearse con los justos, y que un viento se levanta a esa hora en el Norte y desprende una chispa del fuego divino, y que esa chispa quema al arcángel Gabriel bajo las alas, y que el grito de éste despierta a todos los gallos, que cantan—: la conmoción que quebrantó mi ánimo cuando me atreví a encarar el inaudito árbol de los *Sefiroth,* a intentar inteligir el misterio inextinguible de la *Chekina,* aún me lo quebranta cuando me aventuro a rememorarla.

Aunque ya la madurez había quedado a mis espaldas y conmigo sólo habitaba la vejez —mi mujer y sus padres habían muerto años atrás, y el resto de la familia se encontraba disperso por el mundo—, y a pesar de que la esperanza de tener hijos hacía mucho que me abandonara, la noticia de la aparición del Mesías no sólo me sumió en una alegría irrepetible, como al resto de los habitantes del *ghetto,* sino que me movió a imprimir a mi vida un giro decisivo. La oleada de entusiasmo, de fervor nervioso que, habiendo cubierto todo el Levante, se aprestaba a extenderse por el resto del mundo, nos llegó en la persona de un mensajero, hombre de mediana edad, de complexión robusta y cejijunto, el cual no tuvo que aducir prueba alguna de lo que decía para que su relato fuera aceptado por todos. Contó, en medio de un silencio expectante, que, veinte años atrás, un joven judío de Esmirna llamado Zabbatai Zevi, hallándose en el campo, a muchas leguas de distancia de cualquier población, abocado por la soledad y el vacío interior a la desesperación más reprobable, había visto —a la hora misma en que se encontraba en trance de rendirse a aquélla— temblar las estrellas del cielo y los montes que de lejos lo cercaban, y, ya de hinojos sobre la árida tierra, había oído —espantado por el silencio inhumano de cuyo seno surgía— una voz, que le dijo: «Tú eres el Salvador de Israel, el Mesías hijo de David, Mesías del Dios de Jacob; eres tú el llamado a libertar a Israel, a traerlo desde las cuatro esquinas de las tierras al centro de Jerusalén; y yo juro por mi diestra y por mi brazo poderoso que eres tú el libertador verdadero, y que fuera de ti no hay redentor.» El mensajero contó luego, asediado por las miradas estupefactas de sus oyentes, que, cuatro lustros más tarde, un talmudista adolescente, Nathan de Gaza, habiendo iniciado el estudio del inagotable Zohar, se entregó a un largo ayuno en la semana que siguió a la fiesta de Purim, y estaba recitando, con lágrimas y suspiros, la plegaria de la mañana, cuando el Espíritu lo poseyó —temblaron sus piernas, se erizaron sus cabellos—, descorriendo las cortinas de púrpura —¿o fue una nube en llamas?— que celan la *Merkaba*, mostrándole ángeles tenebrosos cuyo vuelo calcinaba las piedras y desecaba los mares, y poniendo en sus labios estas palabras: «¡Así habla el Señor!», que amenazaron su equilibrio mental, ya tan precario, hasta que, en una visión fugaz, entrevió el rostro de Zabbatai Zevi, a quien había conocido en Jerusalén, y comprendió que él era el objeto de la profecía. El mensajero contó, en fin, conmovido hasta las lágrimas por el fervor que transfiguraba los rostros de sus oyentes, que, ante una multitud inmensa llegada a Esmirna desde los más remotos lugares, Zabbatai Zevi, rodeado por su segunda mujer, milagrosamente rescatada de los dragones de la concupiscencia, por Nathan de Gaza, el profeta de la palabra trémula, y por el temerario Abraham Yachini, se había proclamado, ¡oh, prodigio!, con toda solemnidad, Mesías de Israel, y que, en medio del sordo rugir de las masas en delirio, había anunciado su decisión de marchar a Constantinopla para retirar la corona de la cabeza del Sultán y, poniéndola sobre la suya, inaugurar la nueva era mesiánica.

Este relato, que seguí con máximo recogimiento, removió en mí el poso de las enseñanzas recibidas, en el alba radiante de mi iniciación a la Kabbala, de Abraham Cohen Herrera, discípulo de Israel Sarrug, quien, según su testimonio, había oído de labios del propio Ari, del santo rabí Isaac Luria, el mensaje místico sobre el Exilio y la Redención que él, luego, transmitiera con modesta fidelidad a los sabios de toda Italia, de tal manera que, alejándome del bullicio del pueblo desbridado —los jefes de la comunidad llegaron a temer un motín—, me refugié en mi casa solitaria, y allí, después de tres días y tres noches entregado, perplejo y exultante, a la oración, determiné abandonar Roma y unirme a las huestes del Salvador de Israel.

¡Oh, mañanas, atardeceres y noches de mi viaje sin fin! Como entre nieblas, emerge de mi memoria el recuerdo de una sola jornada, suma y compendio de muchos días, en la que se suceden islas rocosas y olas empenachadas, la fogata súbita de las amapolas sobre la falda de una montaña apenas entrevista, al hilo de mi plegaria ininterrumpida. El barco que me conducía por el Mediterráneo, costeó muchas tierras, capeó temporales, acostó otros navíos en el seno de las bonanzas, subió y bajó sobre las aguas encrespadas, sin que todo ello dejara apenas huella sobre mi imaginación: ésta, en alas de la esperanza, había volado lejos, por la geografía y por el tiempo, y se encontraba con Moisés y los suyos —de los que yo, místicamente, formaba parte— en el mar bermejo de los egipcios, muchos siglos atrás. ¿No se abrían, por ventura, las ondas ante mí —como lo hicieran ante los fugitivos de Egipto— cuando, sobre la proa temblorosa de la nave, escrutaba el horizonte, con los oídos rumorosos —crujido de la madera y del cuero de la arboladura; batir del agua sobre la línea de flotación del casco umbrío; restellar de las velas; gañido del cordaje en las poleas; gritos de los oficiales y manso deslizamiento sobre cubierta de los pies descalzos de los marineros; mugido clamoroso, omnipresente y sin embargo remoto, de Leviatán— y una oración en los labios? Yo esperaba. ¡Yo esperaba, al borde del desmayo, que Miriam surgiera ante mis ojos y, destacándose de entre sus compañeras, cantara y bailara, el cuerpo y la voz rotos, en alabanza de Aquél que sepultó en el mar al caballo y a su jinete, y dejó que las negras olas dieran buena cuenta de la soberbia del Faraón!

Tal en sueños, desembarqué al fin —toda mi vida no había sido, sin yo saberlo, más que una preparación para aquel instante— en la tierra de mis padres, en el sagrado país de Israel. Bajé a la playa desde el puerto —¿era yo u otro quien guiaba mis pasos?—, me descalcé para sentir en las plantas de los pies la rugosa maravilla de la dorada arena, me postré y, con el rostro semihundido en ella, esperé —el sol, cada vez más alto, quemaba mis espaldas, pero yo me estremecía a intervalos— unas lágrimas que, como la capacidad de orar, tardaron mucho en venir a mí y en ayudarme a superar el estupor que me dominaba. ¿Fueron aquellas voces de muchachos —voces de pálida plata bruñida—, o aquel intempestivo olor a jazmín, o aquella luz suavísima, teñida de verde, la causa de mi conmoción, de la rigidez mineral que se extendió por mi cuerpo apenas comencé a llorar y a orar, y que se intensificaron no bien abordé las proximidades del reino del silencio? Aún hoy, no sabría decirlo.

Permanecí en la playa —esperando a quienes me albergarían entre los suyos mientras yo no decidiera cuál iba a ser la orientación de mi nueva vida— hasta la noche, y allí, cuando ya las estrellas comenzaban a parpadear sobre la tierra y el mar se cubría de sombras, me llegó la noticia: alguien me contó, con un desconcierto apenas menor que el que yo experimentaría al término de sus palabras, que, hecho prisionero por las autoridades turcas —las cuales, en un principio, le habían permitido recibir en su encierro a delegaciones de judíos piadosos llegados de todos los confines del mundo y emitir un edicto por el cual el día de ayuno del 9 Ab era declarado día oficial del nacimiento del Mesías y proclamado fiesta jubilosa—, Zabbatai Zevi, ante el Diván de Andrinópolis, reunido bajo la presidencia augusta del sultán, había abjurado del judaísmo y hecho suyos los principios del Islam con objeto de salvar su amenazada vida.

Siguieron días vacíos, sin principio ni fin, durante los cuales, ausente de mí e instalado ya en casa de aquellos amigos a quienes esperara durante tantas horas, viví sin comer ni dormir, ignorando toda necesidad natural, en un estado de perplejidad, de embrutecimiento, del que quienes me rodeaban no conseguían sacarme. Sí, mi familia y la de muchos otros, allá en la detestada España, habían sentido flaquear sus rodillas, y habían buscado en la mentira, en la traición aparente, una escapatoria al dilema impío ante el cual se les arrojaba; pero, ¿podía hacer lo mismo el Mesías sin perder su condición de tal? Y aún más: un hombre que hiciera lo que había hecho Zabbatai Zevi, ¿podía haber sido alguna vez el Mesías? Recordaba, entonces, que Rabban Yohanan ben Zakay repetía sin cesar: «Si tienes en la mano el plantón de un árbol y se te dice: *¡El Mesías ha llegado!*, planta primero tu árbol y ve después a recibirlo.» Y me reprochaba el que, sin tener certeza de que fuera el verdadero Mesías, yo hubiera arrancado de raíz el árbol ya añoso, pero aún recorrido por la savia, de mi vida estudiosa para seguirlo.

Por muchos años —y alertado por el pavoroso ejemplo de Joseph de La Reyna, quien, a fin de que se cumpliera la más importante de las condiciones previas para el advenimiento del Mesías, había, sirviéndose de exorcismos impíos y de conjuraciones abominables, conseguido someter a su yugo al mismo Satán, pero sólo por poco tiempo, pues, apiadado de la suerte de su infernal siervo, le permitió aspirar incienso consagrado, con lo que el enemigo de los hombres recuperó su poder, y, rodeando el alma del infortunado cabalista con sus lianas de fuego, lo abocó al libertinaje, y luego, a un atroz suicidio—, yo había resistido triunfantemente a la tentación de poner en juego mis fuerzas interiores para intentar restaurar con violencia la armonía originaria rota por el acto de la Creación: mi renuncia a hacer uso de las virtualidades mágicas de la plegaria era absoluta; mi *kawana* iba dirigida únicamente hacia el *devekuth,* hacia el anonadador contacto místico con la divinidad. ¿Cómo explicar, pues, mi incontrolada, mi irreflexiva entrega a una empresa comunitaria que atendía a dejar libres todas las fuerzas capaces de acelerar la llegada del fin de los tiempos? Sin duda, no por una tendencia personal a lo apocalíptico, tan ajena a mi temperamento, pero sí por respeto a la voluntad total de mi pueblo, exteriorizada en un desbordamiento de entusiasmo mesiánico que no podía tener por causa meramente el deseo de esquivar para siempre los horrores del exilio.

«La opinión de la mayoría —está escrito— prevalecerá.» Y la opinión de la mayoría era que el Mesías había llegado. ¿Cómo podía yo, en consecuencia, dejar de seguir a Zabbatai Zevi? ¿Cómo podía negarle yo su condición de Mesías? Mi deber en aquella hora oscura era, por lo tanto, dominar mi repugnancia, mi horror ante su acto impío, y buscar un sentido al mismo, que lo justificara. ¿Acaso no era factible que de aquella indagación de los móviles últimos de su aparentemente desviado proceder derivara un cuerpo de doctrina hasta entonces desconocido, una inédita dirección de pensamiento, inalcanzables en otras circunstancias?

Yo sabía que el pecado de Adán había provocado la caída de centellas divinas al abismo impuro del reino del mal, y también, que éste se desfondará el día en que tales centellas desaparezcan de su seno. ¿Por ventura —me preguntaba—, no habrá que entender el acto incomprensible de Zabbatai Zevi como un descenso a ese abismo sin nombre, a fin de reunir y recoger a las santas centellas, y subirlas al dominio celeste al que pertenecen, privando así de todo sustento al nefando reino de las tinieblas? Pero, de ser así, ¿es Zabbatai Zevi el único a quien está permitido realizar el acongojador descenso, o debe ser secundado, asistido, por todos? ¿La Tora de Beriah permanecerá vigente mientras la Redención no esté consumada, o bien la llegada del Mesías es la señal de que ha sonado la hora de la implantación de la Tora de Atzilut?

Tardé meses —muchas semanas de árida angustia— en comprender que me hallaba dentro de un laberinto mental que mis continuas reflexiones perfeccionaban, acentuando sus engañosas simetrías, tapiando las brechas del muro que le circundaba. Y como quiera que no me era desconocido que de un laberinto tal no se sale por los propios medios, decidí buscar ayuda en el único lugar a mi alcance en que podía encontrarla: en Safed, sede antaño de tantos maestros gloriosos. ¡Ay, aquellos maestros —comprobé a los pocos días de mi llegada— no habían dejado sucesores que, aunque más no fuera por sus recuerdos, pudieran sustituirlos!: dados a la demonología, a la magia equívoca y a otras aberraciones perniciosas, los discípulos de sus discípulos habían visto romperse entre sus manos el hilo rojo de la tradición. No me descorazoné, sin embargo. Y busqué, y busqué, hasta encontrar lo que necesitaba: un hombre, en olvidada espera ante las puertas de la muerte, que, al margen de todo movimiento herético, de toda desviación de la norma celeste, había hecho fructificar en sí la semilla recibida en su remota juventud de los últimos sabios del período de esplendor. Me fue difícil vulnerar las barreras que una soledad sin paliativos, de duración interminable, había alzado a su alrededor, pero, al fin, lo conseguí. Y lo que vi y lo que oí, bajo su guía, justificó cumplidamente mis denodados esfuerzos. ¡Oh, aquí las palabras no bastan! Para llegar adonde yo llegué, tendríais que haberlo conocido y, vuestras manos en las suyas, haberos dejado arrastrar por el torbellino de sus visiones! Pero básteos saber que yo recibí de él la paz. Esa paz que, torpemente, pretendo ahora transmitiros a vosotros.

Yo había expuesto ordenada y prolijamente, de acuerdo con las reglas enseñadas por Hillel a los ancianos de Beteyra, mis dudas sobre Zabbatai Zevi, sobre el papel del Mesías y del pueblo en la obra de la Redención, sobre el imperio de las dos Toras, al maestro de vida santa; él, con un ademán inesperadamente enérgico de su diestra momificada, las aventó. «No pienses», dijo, «que yo vaya a seguirte por el camino circular de una reflexión desencarnada. Las verdades que tú buscas, únicamente pueden ser entrevistas a través de sombras especulares, de imágenes enigmáticas. Si verdaderamente quieres encontrar una respuesta, la sola respuesta que, por tuya, puede satisfacerte, cierra los ojos, haz el vacío en tu mente, escucha hasta que el silencio se te torne música, y, desasido de toda congoja, atiende luego el relato que voy a hacerte.» Asentí, seguí sus instrucciones, y esperé hasta que olvidé que esperaba. Sólo entonces oí de nuevo su voz.

Su historia —narrada en un tono tan bajo que, para poder seguirla, hube de aproximar mi cabeza a la suya hasta casi rozarla, permaneciendo así, sentado en el suelo ante él, desde la medianoche hasta el alba— fue la que sigue:

Hace muchos siglos, cuando aún musulmanes y cristianos se repartían España, se produjo en ésta, en la noble ciudad de Tudela —de cuya aljama habían surgido hombres que, como Yehudá Ha-Levi y Abraham ibn Ezra, darán por siempre testimonio de la gloria de Israel—, una serie de raros sucesos que conmocionaron a la judería. Todo comenzó cuando los jefes de dos renombradas familias de mercaderes, Efraim bar Jacob y Eliezer ben Natan, admirados por lo acrisolado de su fe y por su largueza para hacer frente a las necesidades de los miembros más humildes de las comunidades judías con que estaban en contacto, decidieron que había llegado el momento de celebrar los esponsales de sus hijos, Baruch y Débora, a fin de afianzar aún más los lazos amistosos y comerciales que —socios desde hacía años— ya los unían. La boda había sido acordada tiempo atrás, siendo todavía niños los dos futuros cónyuges, pero a pesar de ello, y debido a que, a causa de sus negocios, Eliezer ben Natan y su familia habían vivido alejados de Tudela desde entonces hasta pocos meses antes de que fuera tomada la decisión de unir legalmente a los dos muchachos, éstos —puede decirse— no se conocían. Fue, pues, con temerosa curiosidad, como uno y otra se aprestaron a tener su primer encuentro de adolescentes, que habría de celebrarse, en presencia de todos los miembros de ambas familias, en la casa —recién restaurada tras tan larga ausencia y abandono— de Eliezer ben Natan, en la más hermosa y rica sala de la misma.

La mirada de Baruch se posó en el tapiz colgado del muro frontero a aquel donde se abría la ventana bajo la cual su padre y Eliezer ben Natan, entre susurros, palpaban con delicadeza, sopesándola, una pieza de crujiente seda que, sostenida por el segundo, caía hasta el suelo, por donde se desparramaba. La distancia entre la ventana y el tapiz era grande, y, dado que aquélla constituía la única y, por lo avanzado de la hora, ya pobre fuente de luz de la sala, la mirada del muchacho se fue deslizando por la superficie del grueso tejido rectangular sin que las figuras y los colores que la cubrían, desdibujados y asordinados por la penumbra, lograran retenerla en ningún punto. El tapiz, desde donde Baruch se encontraba, apenas podía ser considerado un bosquejo de sí mismo, la promesa de un jardín o de unas flores dispuestas según un esquema geométrico de rara fantasía, que únicamente la evicción de la penumbra por una iluminación más intensa podría convertir en realidad.

Susurró quejumbrosamente la piel del calzado que oprimía los pies de Baruch, cuando éstos se desplazaron, y el cuerpo del muchacho, al intentar recomponer el equilibrio roto por dicho movimiento, fue estorbado por las ropas desacostumbradas —ropas de caballero: terciopelo negro y terciopelo verde, con bordados de oro; gruesa batista y tenso tejido de las calzas— que lo cubrían, y que lo tironeaban de las axilas, si movía los brazos, como antes lo habían tironeado de las ingles, al mover las piernas, y que en todo momento oprimían su cuello, obligándolo a estirarlo a derecha e izquierda. Sonrió con embarazo —una vez más—, y de nuevo los dedos de su mano derecha pugnaron, también infructuosamente esta vez, para aflojar el dogal que dificultaba su respiración. «¿Qué ocurre? ¿Por qué no vienen?», se oyó gruñir.

Hubo una risa sofocada. «Tu muchacho está nervioso, Efraim.» Y el viejo rabino que, cubierto con su *talith*, había permanecido hasta entonces, ante la mesa próxima a la ventana, con la vista fija en los cristales violáceos de la misma y las manos posadas sobre el contrato de boda, se removió en su asiento, se volvió hacia Baruch y le hizo una mueca indescifrable con los labios.

El muchacho, agachando la cabeza, enrojeció.

Había un gran círculo, de color negro hollín, trazado en el centro de la sala. Perfecto, su perímetro se extendía por las grandes losas blancas, recién aljofifadas, del piso, difuminándose en aquellas donde se recortaban las sombras desmesuradas de Efraim y Eliezer. Baruch lo siguió con la mirada, morosamente, como si estuviera buscando una ruptura en el mismo, hasta el punto en que las dos sombras, fundidas, lo cortaban, y, al desplazarse éstas, de modo maquinal dio un paso atrás. Uno solo, y casi imperceptible, pero no tanto como para que su padre no lo advirtiera, y no riera de su acción. «Sí, está nervioso», dijo. «Muy nervioso.»

Una puerta —la puerta de la estancia donde se encontraban— se abrió, sobresaltándolos a pesar de que el ruido que hiciera al girar sobre los goznes aceitados había sido mínimo. ¿Quién la habría empujado? En su marco no se veía a nadie, y de no ser porque una corriente de aire, inexistente hasta entonces, agitaba ahora blandamente el tapiz, haciendo chirriar las argollas y la barra metálica de las que pendía, hubiera podido pensarse que todos habían sido víctimas de una alucinación, que la puerta nunca estuvo cerrada, que la tensión de la espera les había hecho oír un sonido —el de la hoja al abrirse— imaginario. Pero no era así: la risa ahogada, seguida del rumor de pasos furtivos, que vino a unirse al de las anillas y de la barra, les probó que alguien se encontraba en la sala vecina. Mujeres, a no dudar. Y también nerviosas. Pero no tanto como Baruch, que esta vez retrocedió hasta que su espalda entró en contacto con el muro, situado varios metros atrás del lugar que ocupara hasta entonces; con tal violencia, que su voluminoso gorro de piel y seda, al tropezar con los ladrillos, se ladeó hacia adelante, tapándole los ojos.

Cuando el gorro hubo recuperado su posición normal —tan minuciosamente buscada, durante largo rato, ante un espejo—, los ojos del muchacho parpadearon, deslumbrados: una legión de servidores correteaba por la estancia, portando luces que, una vez depositadas en sus lugares habituales, sabiamente escogidos, transfiguraron el lugar, jerarquizando el espacio y tornándolo cálido y confortable. Como entre sueños, vio a su madre, cuyo andar solemne se acomodaba con una sonrisa tierna que él bien conocía, y junto a ella, a una dama que creyó altiva, y detrás, un ropón de riquísimo brocado, con joyas cegadoras, y una máscara de blanca porcelana. El cortejo pasó ante él, cruzando ceremoniosamente el círculo pintado sobre las losas, y se detuvo ante Efraim bar Jacob, ante Eliezer ben Natan, y ante el rabino, que, habiéndose levantado de su asiento no bien aparecieron las mujeres, se había aproximado a los otros dos hombres. En silencio, con gráciles movimientos, el ropón multicolor, centelleante, sobre el que crepitaba la llama negra de una cabellera, avanzó hacia el doctor de la Ley y se inclinó sobre su mano diestra, que él había extendido; luego, se desplazó hacia la izquierda, y repitió su inclinación ante Eliezer; por último, ante Efraim.

«Baruch, es Débora», dijo éste.

Una música extraña, perezosa, con quiebros insólitos, de ritmo impreciso, se levantó, como una floresta amenazadora, fuera del campo de visión del muchacho, dominado de súbito por la figura imponente que se aproximaba. Y tan de improviso como había surgido, la música cesó. Los párpados de la máscara se fueron alzando —el ropaje, inmovilizado ahora ante Baruch, parecía flotar en el aire, mientras el silencio se adensaba—, y entre las pestañas de negro metal, que se separaban con lentitud mecánica, brilló una luz, brillaron dos luces, en las que el muchacho reconoció, con un sobresalto, el violeta tierno de los cristales de la ventana de la estancia. ¿El mismo? No; indudablemente, no. El violeta de estos ojos tenía una calidad vegetal que faltaba en el de los cristales; el violeta de estos ojos estaba y no estaba donde parecía estar, y, como la negrura del cielo nocturno, refluía de continuo hacia lejanías ignoradas, arrastrando consigo aquello sobre lo que antes se posara: la imagen de un muchacho despavorido, que, como las imágenes de árboles, de peñascos, de flores, arrastradas por las tinieblas de la noche hacia un punto inalcanzable, más allá de las estrellas, era sustraída al ámbito de la realidad por el remolino vertiginoso de una voluntad inhumana. «La tuya, Débora», musitó Baruch. Y ella pestañeó, aparentemente asombrada.

Suavemente, la música instrumental que se oyera poco antes, se alzó de nuevo, acompañada esta vez por la de dos voces de mujer. El muchacho, sin prestar atención a los criados que arrastraban hacia él y su compañera dos pesados sillones, buscó con la mirada a las cantantes y, mientras Débora, ayudada por los dos sirvientes, se sentaba y abría en abanico la falda de su vestido, admiró la delicada plenitud de sus voces y la gracia con que tañían sus instrumentos de cuerda, bajo la guía imperceptible de un hombre maduro que, junto a ellas, soplaba en la boquilla de una larga flauta. El grupo formado por los tres músicos, esclavos musulmanes a juzgar por sus vestiduras, estaba sentado sobre cojines, cabe el tapiz, que, iluminado por humeantes velones, desplegaba sobre la pared el enigma de un laberinto configurado por flores y hojas de inquietante rareza, en cuyo centro rampaba un león.

Sentado frente a Débora, Baruch alargó una de sus piernas hasta rozar con el pie la sombra de la muchacha. Pero ella, con la mirada perdida en su regazo, donde sus manos reposaban entrelazadas, no lo advirtió. Replegó él, entonces, la pierna, al ver cómo, portando una copa, se aproximaba su madre, y se levantó prestamente. «No es para ti, aún», dijo ésta, y se la tendió a Débora, que, mostrándole por primera vez su perfil, extendió la mano hacia la bebida, al tiempo que devolvía a la dama su sonrisa. Esto la distrajo: sus dedos se cerraron sobre el vacío y la copa tembló en la mano que la ofrecía, derramándose parte de su contenido. «¡Oh!», exclamó la muchacha, incorporándose. «No es nada, hija; siéntate.» Y ella obedeció, advirtiendo, confusa, que el escarpín de plata de su pie izquierdo, caído de éste como consecuencia de sus desordenados movimientos, yacía abandonado en el suelo, próximo a Baruch.

El pie, desnudo, emergió del bajo de la falda, tanteando las frías losas. Largo, estrecho, de galbo delicado y acolchado empeine, sus dedos, de falanges claramente delimitadas, rompieron el arco impecable que los agrupaba, al abrirse para aprehender el escarpín caído. No lo consiguieron, y Baruch, que los contemplaba reteniendo indeliberadamente la respiración, fascinado por la rugosa planta anaranjada que el pie, violentamente escorzado, exponía a sus miradas, se inclinó para calzarle el escarpín, pero no tan rápidamente como para que su madre, interponiéndose, no se le adelantara y le impidiera rozar los inocentes pulpejos o las delicadas uñas de color rosado o la planta tan turbadoramente arrugada.

«Bebe tú ahora», dijo Débora cuando la madre los

hubo abandonado, alargándole la copa. Y él, posando sus labios donde ella los posara, rojo de vergüenza, de deseo y de orgullo viril, así lo hizo, sin dejar de mirarla.

Cantaron las jóvenes moras:

Una hija tiene el reyes,
una hija regalada,
metióla en altas torres
por tenerla bien guardada.

«Débora...», murmuró él, aproximando su sillón al de la muchacha. Y ella: «¿Qué hacen nuestros padres, y qué hace el santo rabino?» Baruch ladeó la cabeza: «Nada. Todos beben, comen, hablan.» Débora se relajó: «¿Conocías este romance?» Él, por toda respuesta, posó su diestra sobre las manos de la muchacha.

Un día por las calores
aparóse a la ventana,
vido venir segadore,
segando trigo y cebada.
La chapa tiene de oro
y la pala fina plata.

«Como tú», dijo Débora. Él le ofreció sus labios, y la muchacha, liberando una de sus manos, se los acarició, pensativa.

Presto lo mandó a llamare
con una de las esclavas.
—Ven aquí, tú, segadore
que te quiere la mi ama.
—¿Qué me quiere la mi ama,
qué me quiere, qué demanda?
—Quiere que l'asembres trigo,
que l'acojga la cebada.

«Me haces daño», se quejó Débora, pugnando para liberar su mano de la presión de los dientes de él.

—¿Onde que l'asembre trigo,
que le acojga la cebada?

Y Baruch, con los ojos velados, repitió la pregunta: «¿Dónde, Débora?»

—En su cuerpo l'asembres trigo
y en su seno la cebada.

«Si no me besas, creo que voy a llorar», musitó él, jadeante. Los labios de ella rozaron furtivamente los suyos. «¿Ves?», dijo Baruch con voz temblorosa. «A pesar de todo, estoy llorando.» Débora le acarició la frente: «Eres un niño», susurró.

A sus espaldas, volvió a elevarse el clamor de los músicos:

Al vergel vamos los dos,
¡cara de flor! ¡Novia de amor!

¿Cuándo se había hecho el silencio? Ni Baruch ni Débora advirtieron que los esclavos musulmanes, sin otro ruido que el de sus pies desnudos deslizándose por el suelo, habían abandonado la estancia. Ni que en ésta tampoco se oía el rumor de la conversación de sus mayores. Así, cuando la madre del muchacho surgió ante ellos, se sobresaltaron.

«Hijos», dijo la dama, «no es bueno que estéis tanto tiempo solos.» Miró la cara a uno y otra, y sonrió. «Venid a compartir vuestra alegría con nosotros.»

En la mesa, junto a la ventana, todos se corrieron para dejar espacio a los recién llegados. Baruch se sentó frente a Débora, entre su padre y el rabino; las dos madres flanqueaban a la muchacha, y Eliezer presidía la asamblea. Ante el mutismo embarazado de los novios, los concurrentes, excepto el rabino, rieron.

«Esta boda», comenzó Efraim apenas cesaron las carcajadas, «unirá a dos grandes familias. Los lazos comerciales y amistosos que ya nos ligan, Eliezer, se consolidarán y, cuando nazca el primer niño, se tornarán indestructibles. Nada podrá, entonces, detenernos. Tú tienes parientes queridos en Fez, en Kairuán, en El Cairo; yo, en Bagdad, en Ispahan, en la remota India. Los hijos de nuestros hijos harán que todos ellos sean parientes entre sí. ¿No ves, como yo, lo que esto significa? Una red comercial extendida a lo ancho de tres continentes. Una red comercial que nos permitirá llegar al muro de Gog y Magog, y trabar relación con los extraños hombres de piel amarilla. Una red comercial gracias a la cual los puertos del Mar Caspio, del Mar Negro, del Mar Rojo se abrirán para nosotros, proveyéndonos de mercaderías de alto precio. Todo este porvenir está ya en nuestras manos, y entre las de este muchacho y esta muchacha, que yo bendigo.»

«Bendice también al Santo (¡Su nombre sea reverenciado!)», intervino el rabino, «pues a Él, debes ese porvenir y lo que ya tienes: una fortuna, una mujer fuerte, un hijo sumiso a sus mayores. Y no sólo: también le debes la gloria mayor, el signo supremo de Su benevolencia: tu nacimiento en el seno del pueblo por Él elegido. ¿Acaso piensas que de no ser judío hubieras podido soñar como sueñas? Nuestro dolor, nuestra humillación, son grandes. Vivimos como extranjeros en tierra extraña. Pero en nuestra debilidad reside nuestra fuerza. ¿Quién, si no es judío, puede vanagloriarse de contar con hermanos, para la gloria y para la vergüenza, en cualquier lugar del mundo? ¿Quién, si no es de los nuestros, puede servir de intermediario entre las dos potencias blasfemas que luchan por el predominio sobre todo lo creado? ¿Quién, fuera de Israel, dispone de una lengua con la que no sentirse ajeno en ningún país? ¿Quién, excepto nosotros, dispone de una Ley santa, inalterable, igual aquí y allá, vigente en todas partes, con la que eludir el caos legislativo, la multiplicidad suicida de usos y costumbres jurídicas que imposibilita a los más la realización de transacciones comerciales con los pueblos de allende el mar y el desierto? Los hijos de Sión están donde nadie está: en Cachemira, cerrada a todos los extranjeros, excepto a los judíos; en otras ciudades aún más remotas, cuyo nombre se me escapa ahora.»

Los ojos de Baruch brillaban de excitación. «Yo», dijo, «yo he soñado desde pequeño...». Se interrumpió al ver que su padre alzaba una mano para reprenderlo. «No, déjalo hablar», pidió el rabino; «terminé ya y me gustará oírlo.» Baruch, balbuceante, prosiguió entonces: «Sí, he soñado siempre con el viaje, con la aventura. Ispahan, Adén, no son para mí sólo nombres, aunque nunca haya recorrido sus calles. Yo he visto Ispahan por las noches, todas las noches, apenas cerraba los ojos, con sus prados donde crecen las rosas, con sus guerreros sin rostro recubiertos de hierro, de sedas y de plumas; yo he visto Adén, a orillas de un mar purpúreo sobrevolado por aves monstruosas, con dientes y largo pelo, y he escuchado el rugido de los leones de piel moteada que se agazapan en la vecindad montaraz de sus arrabales; y he visto y he oído muchas otras cosas de las que nadie oyó nunca hablar: un río cuyas aguas vierten en el gran abismo, una montaña de esmeraldas que canta al atardecer, una llanura poblada por hombres de dos cabezas, la cueva donde muge el unicornio. Y yo me he prometido a mí mismo que, sobre un caballo sin tacha, armado con una larga espada, visitaré en cuerpo y alma esos lugares, esas comarcas que viera en sueños.»

«Tú, Baruch, nunca abandonarás Tudela», lo interrumpió Eliazar. «Tu padre y yo hemos decidido que tu lugar está aquí: en el centro de esa red comercial que cubrirá el mundo. Aquí: controlando, dirigiendo, uniendo lo disperso. Y te digo, que tu futuro yo lo envidio: las decisiones serán tuyas; hasta el punto, que el más pequeño de tus deseos encontrará un eco en regiones que, por mucho que anduviéramos, ni tú ni yo podríamos alcanzar jamás. La información, toda la información, será tuya; y con ella, el poder. El precio de la seda, de las especias, subirá y bajará a tu capricho; un capricho que, estoy seguro, siempre atenderá a fortificar la riqueza y la influencia de nuestras familias, que ya van a ser sólo una. ¡Ah, si tú hubieras vivido lo que yo! Te serán ahorrados el hambre, la sed, el azote enloquecedor de la arena en los desiertos, que yo padecí. Y el miedo a las fieras; y a los hombres, aún más feroces.»

Baruch, conmocionado, volvió sus ojos a Débora. «¡Pero yo la tengo a ella», dijo. «¡Mi mujer! Y sé que en sus ojos veré lo que ni siquiera he logrado soñar. Y no hablo de las ciudades lejanas en que ella vivió y que yo no conozco, sino...»

«Estás loco, hijo mío», exclamó la madre de la muchacha. «Débora es sólo una mujer, es sólo una mujer.»

Los ojos de Baruch centellearon: «Sí, ¡pero mía!»

Se alzó el rabino de su asiento, lo que tuvo la virtud de aplacar los ánimos. Baruch y Débora firmaron el contrato de esponsales, y tras ellos, como testigos, el resto de los presentes —sin ruido ni palabras; sólo el rasguear nervioso de la pluma rompía el silencio—. Luego, los dos jóvenes, con las manos enlazadas, se situaron en el centro del círculo que, previsoramente, la madre de la novia hiciera trazar en el pavimento.

Ante la expectación de los otros, habló el rabino:

«¿Qué hace Dios desde que creó el mundo?, preguntó cierto día un pagano a un sabio judío. Éste respondió: Matrimonios.» El rabino contuvo una sonrisa. «Se ha dicho», prosiguió, «que cuarenta días antes del nacimiento de un niño, una voz divina anuncia con quién se casará éste. Y yo te digo, Baruch, que el nombre que se pronunció en tu caso fue, sí, Débora.» Su voz era ahora más grave: «Creced y multiplicaos, y honrad al Señor, hijos míos.»

Alguien estrelló un plato contra el suelo, sobresaltando a los novios.

«¡Mazal Tov! —gritaron todos—. ¡Mazal Tov!»

Con pasmo, con estupor, con estremecida reverencia —inexplicables, quizás, a mis años—, reacciono aún frente a ese vértigo sin nombre que hace vacilar a dos seres, hasta entonces ensimismados en una soledad que se ignoraba, y caer uno en brazos del otro con los estigmas del éxtasis marcados en el rostro, no se sabe si ansioso o despavorido. Y es que, ¡resulta tan desmesurada la desproporción entre la causa presumida y el efecto cierto; entre lo que se supone y lo que, golpeando fieramente las puertas de los sentidos, penetra en la más oculta recámara de nuestros corazones, y allí impone su presencia conmocionadora, despertando y turbando a nuestra sensibilidad: las muecas y las felices lágrimas del amor en sus inicios! Sí, es tanta esa desproporción, que se diría que la causa supuesta fue un espejismo de nuestra imaginación, una coartada amañada con torpeza para no presentarnos desvalidos ante el tribunal de la lógica. ¿No podría, en consecuencia, pensarse con justicia que, para Baruch, Débora fue sólo un pretexto? Tal vez, detrás de lo que llamamos su amor por la muchacha no hubiera sino la voluntad de acceder a la virilidad plena, que no se alcanza sino por intermedio de la hembra —ella despierta las virtualidades dormidas del varón adolescente y las hace madurar, desarrollarse, dando a luz al hombre cabal; ella, de cara al mundo, testifica con su presencia al lado del macho que éste, sea cierto o no, ya lo es por completo, y ejerce como tal—. Es posible, por otra parte, que bajo los gestos de Baruch, autentificados, por así decir, por una desorbitación de inequívoca raíz erótica, no existiera más que la búsqueda instintiva de un complemento a su naturaleza, de ese principio femenino que podía compensar la sequedad de su ser hombre —lazarillo para el alma privada del sentido de la sensibilidad, del don de las lágrimas—. Cabe, también, que Baruch se limitara a querer satisfacer la curiosidad que en él despertaba —como en todo hombre despierta— la mujer, tan próxima y potencialmente terrible en cuanto madre y tan terrible y potencialmente próxima en cuanto amante, inasible siempre, o la curiosidad, no menos acuciante, de comprobar qué efectos provocaría en su cuerpo y en su alma el contacto más íntimo con lo femenino, llama o hielo estéril. Quizá, Débora sólo significaba para Baruch una llamada a la aventura a secas, el reto indeterminado a un combate mediante el cual afirmar la propia naturaleza viril: el palenque donde la sangre vertida —y derramarla, y ser vencido, es el único desenlace previsible del choque— constituiría el signo de la iniciación superada. No puede rechazarse, tampoco, la posibilidad de que Baruch apenas viera en Débora un medio de escapar de sí, de la indeterminación de la recién superada pubertad, y de abrirse al mundo que contemplaba, mero espectador, tras los cristales de su alma encastillada en la soledad. O tal vez, tenía a la muchacha por la posible dispensadora de un cariño que su madre, por pudor de hembra, por aridez climatérica, por celos anticipados, le dispensaba ya con rara tacañería. O, en fin —¿quién podría asegurarlo?—, la atracción que lo arrojaba en los brazos de la doncella adolescente era el vértigo terrible ante lo informulado que espera de nosotros un nombre, ante las pavorosas pruebas presentidas al otro lado de la frontera de la edad adulta, todavía no cruzada.

Pero, ¡alejaos, pensamientos vanos, pues nunca lograréis fracturar la cáscara del misterio, de ningún misterio que tenga como protagonista al hombre, señor de la ambigüedad y de las tinieblas! Aplicaos, mejor, a descubrir indicios tangibles de otros enigmas que acentúen nuestra perplejidad, dado que sólo así, asumiendo lo sin sentido —lo que no cabe si algo conserva significación—, podemos esperar que algún día, en el seno de la derelicción suprema de quien se pierde a sí mismo, surja una luz —oscuridad adensada hasta lo infinito— que nos sirva, ya que no para situar las maravillas y monstruos con cuyas figuras se adorna el recargado tejido de la vida, sí, al menos, para situarnos a nosotros en la oquedad inabarcable de lo eterno. ¿Y qué mejor camino para ello que seguir las huellas del deseo, las trazas de los pies de Baruch sobre el barro que su voluntad de cópula hiciera surgir alrededor del cuerpo tembloroso de Débora?

Él la deseaba: de esto podemos estar ciertos. Lo prueban el beso requerido y alcanzado, el furtivo contacto de una y otra mano, sus lágrimas mansas, el vacilar de su voz, las miradas perdidas, el enervamiento de su cuerpo desmadejado, y en especial, el estupor de que hiciera gala ante ese pie descalzo de ella que simbolizaba, más que el sexo ofrecido de la mujer, el de ésta y el del hombre en conjunción asombrosa. Sí, no os admiréis: hay en el cuerpo humano muchos signos que remiten al enigma del sexo, pero ninguno tan imperioso como el del pie, mano que anhela una masturbación imposible. ¿Acaso no sabéis que en el remoto septentrión, allí donde el sol cede sus atributos durante medio año a la impúdica luna, hombres bárbaros escogen entre sus compañeras a una que, vestida como varón y descalza, hollará con sus pies las rocas y los campos, el día del solsticio de verano, para procurar la fecundidad de los mismos? ¿Acaso ignoráis que la visión de un pie desnudo en la infancia o en la primera juventud puede marcar toda una vida, orientando al deseo hacia callejones laberínticos donde, extraviado y sin aliento, pero sin renunciar jamás, cobrará conciencia del carácter supremamente misterioso del sexo, de su condición de portentoso puente —si frágil, también imperecedero— entre lo animal y lo sagrado, entre la insatisfacción renacida sin cesar, infinita, y la plenitud que no acaba y que sólo puede saber de sí a través de ese perenne anhelo, o de su recuerdo? Baruch fue marcado para siempre con el sello de la insatisfacción apenas vislumbró a Débora descalza; su deseo, en adelante, no podría saciarse aunque el sexo de ella, succionando el suyo, le vaciara los testículos entre gritos de horror y de gloria compartidos; su sed de absoluto no desaparecería aunque lograra la perfecta conjunción de su alma con la de ella entre el rechinar celeste de las esferas: llevaba en su seno una bestia, ansiosa de eternidad, a la que tendría que ceder toda su sustancia; una bestia que —no tardaría en saberlo con horror— le sobreviviría.

¡Ay! Quisiera evitar ahora la palabra —amor—, pero no puedo hacerlo; pues amor es el nombre del animal de Baruch, su destino y su emblema. ¿Por ventura no advertís que basta con mencionarlo —tigre o león, pero negro, y siempre rugiente, que devora estrellas— para que el sonido de sus garras trace a nuestro alrededor un círculo de canciones despavoridas? Lo veo ante mí, sangrientas las fauces, y ninguna de las imágenes tradicionales que evoco, desalado, para exorcizar aquélla, real, que oprime mi corazón con su presencia, puede anularlo. Busquemos, pues, otras que, sin falsear su naturaleza, nos la hagan más soportable.

Ésta, por ejemplo, que recogí de un viajero turco, de paso por Roma, conocedor de las comarcas y de los secretos de los antiguos persas: un anciano asceta contempla sin respiración, con los ojos físicos y también con los del espíritu, el rostro de un adolescente en el que se conjugan las gracias del hombre y de la mujer amuchachados. Para el asceta, este adolescente es un ángel, blanco y rosa, que espejea sin tregua la belleza infinita del Altísimo. ¡Belleza inabarcable! Aun reducida a un mero y limitado reflejo de sí, no puede ser aprehendida, y escapa de continuo a la contemplación. El asceta intenta fijarla en un punto —curvatura de las aletas de la nariz, brillo furtivo de los ojos, calidad frutal del carmín en los labios—, pero no lo consigue, pues la carne admirable es sólo signo que remite a la luz invisible que la glorifica. El asceta, entonces, desearía apagar la trémula llama que aleja las tinieblas de él y del muchacho contemplado, y abrazar a éste, y unir su desnudo al suyo —vientre contra vientre, pene contra pene—, y buscar en el incendio de un beso compartido la luz cenital que podría privar a la belleza atisbada de su fugacidad dolorosa, utilizando la exacerbación simultánea de los sentidos y de la imaginación como de un conjuro con que provocar la epifanía de aquello que hizo, del adolescente, objeto fascinante, y de él, puro deseo. ¡Ay! Se retiene, sin embargo: sus brazos y sus muslos, la oscuridad y sus manos trémulas, alejarían del muchacho para siempre la luz sagrada que lo magnifica. Vuelve, pues, su pensamiento a esa luz, que ya no ve. Y ora.

La segunda imagen que acude a mi espíritu cuando busco un medio de aliviar la angustia provocada por el animal terrible de Baruch, es difusa, y no puede ser percibida más que como entre brumas: Adán, sin Eva aún, ve por primera vez al ser creado por el Señor (¡bendito sea su nombre!) para que lo acompañe en la exploración y disfrute del Paraíso, todavía no hollado por planta alguna. El nombre de este ser es Lilith y ha sido formado, como Adán, a partir del jugoso limo. ¿Cómo describirlo? Es un hombre —se confundiría con Adán—, pero nada pende de su bajo vientre, que se abre hacia adentro entre repliegues carnosos con olor a almizcle. Antes de conocer el Paraíso vegetal que ante ambos se extiende, Adán quiere conocer ese otro, cuya entrada oculta el rizoso vello, rubio como un enjambre de abejas. Pero Lilith rechaza sus avances: previamente, Adán deberá reconocer en este ser, que también lo desea, a un igual, pues ambos han sido configurados con la misma tierra. ¡Lastimoso error! Adán, ensoberbecido con la gloria de su esplendor viril, se niega a hacerlo, y Lilith, tras invocar blasfemamente el Sagrado Nombre, huye de su vista. En adelante, Adán —todos nosotros— buscará sin consuelo a Lilith —en Eva y en los hombres—, de modo infructuoso: Lilith —señala el Zohar— únicamente se tornará visible —¡pero tan poco!— para presidir los ritos infames de la masturbación, para formar con el semen estéril súcubos e íncubos monstruosos que atormentarán al hombre en la hora de su tránsito a las tinieblas postreras.

La siguiente y última imagen procede de una experiencia común a todos. De aquí, que yo no pueda hacerla presente sino con rubor, pues en algo me atañe. Es una imagen que, no bien se la considera, se desdobla repetidamente; una imagen en el tiempo, testimonio de innumerables frustraciones, a cuyo través se vislumbra, sin embargo, una gran luz: un hombre y una mujer, jóvenes, cogidos de las manos, se miden con la mirada, se abisman en los ojos del otro, iluminan con las llamas del deseo la intimidad última —recién revelada— de su oponente, y piensan que en el coito perfeccionarán de modo definitivo su conocimiento mutuo, aún apenas esbozado; los mismos, tiempo después, se encuentran, desnudos, vientre contra vientre, explorando —con miedo, él; con miedo y extrañeza en la carne, ella— el ámbito vertiginoso de la conjunción amorosa, demasiado pendientes de sí cada uno —la conciencia, desorbitada, desplaza y anula todo sentimiento, toda sensación— como para poder percibir, aunque más no fuera de modo reflejo, la realidad evanescente del ser que estrecha entre sus brazos; ese hombre y esa mujer, en la madurez compartida ya, dueños del secreto que permite a la pareja alcanzar la incandescencia en la unión de los cuerpos, se observan —atentos, respectivamente, al turbador desplazamiento de los pechos de la hembra, movidos por su respiración jadeante, y a la inmovilidad preñada de violencia de los abiertos muslos del varón, que, con las nalgas sobre los talones, presiona en la raíz de su miembro para conseguir la máxima erección del mismo—, sabedores de que ella se desmandará al ser penetrada, y se perderá, solitaria, por los páramos de un éxtasis que puede ser enloquecedor, y de que él deberá controlarse para, sin dejar de subir peldaño tras peldaño la escalera del goce perfecto, no arrancar a su compañera de su solipsismo de sudor y estremecimiento antes de que tuerza la mirada, apriete los dientes y gima sin voz, y de que el placer compartido los aislará mutuamente en los reductos sin comunicación entre sí de la femineidad y de la varonía plenamente asumidas.

Ninguna de estas imágenes era conocida por Baruch y Débora en el momento de su primer encuentro —¿y cómo hubiera podido serlo, dada su corta edad?—. Para ellos, el otro era sólo promesa o pretexto de ensoñaciones: eróticas, en el caso de él, que ignoraba la naturaleza y aun la existencia autónoma de la fiera del amor en su pecho; meramente sensuales, en el caso de ella, lago profundo en el que la piedra de las miradas ardientes del muchacho apenas había comenzado a agitar las aguas superficiales con tímidas ondas concéntricas de escaso radio todavía y a traspasarlas en su inexorable descenso hacia lo hondo. Esa hondura, ¡ah!, sería alcanzada; y la bestia, agazapada en el seno de él, se crecería hasta sustituirlo, en una transustanciación —para hablar como aquellos cristianos con los que viví durante años— demoníaca. Pero no antes de la muerte de ella, sobrevenida, pocos meses después de la firma de los esponsales, en circunstancias insólitas, en el jardín de su casa, ante la mirada atónita de criadas y jornaleros.

Una nube en el alto cielo. Y tras ella, otra.

¡Qué locura: la liebre tras el perro! ¿O no?

Sí. La primera, la adelantada, es grande, negra, densa, y va cargada de ruidos como un barco que cabeceara en alta mar. La segunda, a su zaga, resulta pequeña, en cambio, contemplada desde abajo, e indudablemente tiene menor envergadura que la precedente: ligera, casi inconsútil, de un gris casi blanco, semeja un pañuelo de leve batista que el viento arrastrara, alabeara, henchiera y abandonara —¡ay, sólo un momento!— sin seriedad, con capricho.

Pero no hay viento. Al menos, en el jardín: los árboles frutales parecen dormidos; y también, las enredaderas —verde y verde oscuro sobre las blancas tapias—, y los macizos de flores, donde la grana y el índigo, el verde tierno y el rosa jaspeado, los oros hondos, se aúnan.

¡Esta alegría de la savia circulando sin pausa, de la sangre henchiendo las venas, del agua que corre sobre la tierra jugosamente oscura!

Débora se estremeció y abrió los ojos.

Sí, ya está aquí el viento. Suave, pero implacable. Haciendo susurrar las copas de los árboles, como si las hojas de éstos fueran metálicas; desbandando momentáneamente a los insectos, que libaban casi dormidos en el seno profundo de las flores, y que ahora, por un instante, planean sobre sus jugosas corolas con un zumbido de irritación.

¿Irritación? Como la suya, como la de la muchacha, que retiró vivamente la mano del árbol donde la tenía posada, del árbol que se incurvaba hacia arriba, y contempló su palma, manchada, pegajosa, quién sabía de qué.

¡Oh, sólo es resina!

Y buscó en su pequeña faltriquera de raso un pañuelito con que limpiarse, tras haber olido con delectación el perfume inquietante del rubio líquido endurecido. Rubio, dorado, como el sol.

¡A esta hora debería estar bordando!

El cuerpo languidece cuando la imaginación evoca la cámara umbría donde se borda, donde se cose, donde se elabora el ajuar. Y es que ¡es tan grande la diferencia entre la cerrada habitación donde la humedad invernal se demora cada año hasta enlazar con la del siguiente, y el tibio jardín rumoroso bajo el cielo aplomado!

Aquí, en éste, el cuerpo es un animal que anda solo, por donde quiere; un animal montaraz, imprevisible, que uno puede ver alejarse sin desfallecer de miedo y de gozo; un animal que husmea al borde de abismos no presentidos, de cuevas hirsutas cuya vecindad hay que eludir siempre.

Entonces, Débora se sobresaltó. Se estremeció. Con un quejido. Y su mano derecha se dirigió hacia las haldas, como si hubiera sentido una punzada en el bajo vientre: ¡un buido, musculoso lagarto de azogue verde pardusco multiplicaba sus patas sobre la cal del muro más próximo al lugar donde ella se encontraba!

Un animal impuro, sí. Y horrible. Pero fascinante. Que se va —visto y no visto—. Que se confunde con la enredadera.

Suspiró Débora.

¡Debería estar trabajando! ¿Haciendo cenefas? No, mejor, bordando la graciosa liebre que persigue al podenco.

¡Cómo lucirían una y otra —de hilo negro él, de hilo rojo ella— sobre la blancura sin tacha del embozo!

Pero, ¡ay! En los cielos, el orden se ha invertido, y es ahora el perro el que, de acuerdo con normas inmutables, acosa a la liebre frágil, a la liebre desvalida, y la acorrala, y, sin atender al temblor que agita cada pelo de su sedosa librea, se la engulle, haciéndola desaparecer.

Ausente ya la liviana, y blanca o gris perla, la nube tenebrosa, henchida, más sólida —casi una piedra—, gravitaba sobre el jardín, e, interpuesta entre éste y el sol, privaba al primero de la luz del segundo.

¡Débora, Débora!

Un brusco sofoco hizo que, por segunda vez, la muchacha, extendiendo una mano, buscara apoyo en el tronco del árbol cimbreante.

¿Qué es esto?

La canción oída meses atrás se abría camino, como un tizón luminoso, por el seno de las tinieblas.

Una hija tiene el reyes,
una hija regalada,
metióla en altas torres
por tenerla bien guardada.

La voz que portaba estas palabras —con torpeza y delicadeza de consuno— era de hombre: un jardinero —entrevió Débora desde donde estaba, tras girar levemente la cabeza— que, avanzando a reculones, con los pies y las pantorrillas sumergidos en el agua de una acequia, ahondaba ésta con su escardillo.

Calló el hombre y enderezó el busto, que llevaba desnudo, e irguió la grácil cabeza, de rizos descuidados. Débora bajó la mirada. Pero la alzó en seguida: las espaldas de oro oscuro, que se estrechaban inverosímilmente en las proximidades de la cintura, parecieron cubrir por completo el campo de visión de sus ojos absortos.

¡Si siguiera cantando! ¡Si cantara otra vez!

Salió él de la acequia. Con los pies descalzos. Con las pantorrillas al aire.

¡Débora, Débora!

Se sintió desfallecer. Luego, recobrándose, observó de nuevo su propia mano diestra. Otra vez manchada por la resina.

«Tengo que lavarme», musitó.

Andando como una sonámbula, la muchacha —crecía el ruido del agua al caer— se aproximó a la fuente, oculta tras unos matorrales, y alargó una mano tímida —no la manchada— al chorro que caía del caño. La linfa, límpida, de nieve, le refrescó las sienes, las mejillas, el largo cuello tembloroso, mientras, semejantes a timbales que redoblaran a la rebatiña, los innumerables olores del jardín —tierra seca y tierra húmeda; flores, hojas y ramas de los árboles; materias en putrefacción, y, quizá, el acre sudor del cuerpo combado sobre la acequia del jardinero—, se alzaban con violencia, con renovado brío.

¡Amarilla, castaña —la resina—, como los ojos de los hombres de aquí!

Y ahora era arrastrada por el agua.

Un abejorro de oro sobrevoló el macizo de margaritas ante el cual, dominándolo desde el tronco cortado que le servía de asiento, Débora devanaba la madeja de sus encontradas sensaciones. El abejorro, precedido por un bordoneo obsesivo, parecía concentrar en sus alas irisadas, en su acorazado cuerpo trepidante, en sus duras patas ávidas, el estupor agresivo de la hora, cargada de expectativas y de soterrada angustia. Hubo entonces un zumbido más intenso, que se adelgazaba —buido— hasta tornarse insoportable. Y el insecto, cortando el aire, se posó sobre la corola de la flor escogida, anduvo —dominador— sobre ella, y, con un movimiento súbito, hincó la trompa enervada allí donde los pétalos, al unirse, hacían lugar al misterio.

El sol, apantallado hasta entonces por la nube oscura, resurgió, trastocando las perspectivas al barrer las sombras del jardín —sólo permanecieron las más secretas, agazapadas de siempre en zonas ocultas a las miradas—. El aire se llenó de trinos, pronto acallados. Y el silencio resultó, tras ellos, más denso, más cargado de efluvios indefinibles.

Era mediodía, quizá.

«¿No deberías estar bordando?»

Saltó Débora del tronco cortado —las manos sobre el pecho, la cara arrebolada.

«¡Qué susto me has dado!», dijo con irritación y queja.

Cloqueó la mujer que la sobresaltara: «Otro, muy pronto, te dará un susto mucho mayor.»

La muchacha barrió con la mirada a la criada —ya madura, de aire insolente, indecisa entre la confianza y el servilismo— y ni respondió con otra a su sonrisa de connivencia, ni contestó a sus palabras. Pero, como si temiera humillarla con su mutismo, con su seriedad altanera, acabó por extender el brazo hacia donde la vegetación se espesaba, señalando vagamente al jardinero, invisible ahora.

«¿Nos escucha alguien?», preguntó —bajando la voz y aproximándose a Débora— la criada.

«No. No creo. ¿Para qué? Sólo cantaba.»

«¿Quién?»

«Un hombre. Un aparcero. Uno de los que cuidan el jardín. Cantaba el romance de la hija del rey.»

«¿El de la cebada en el seno, hija?»

«El de la chapa de oro y la pala de fina plata que oí por primera vez en la fiesta del otro día.»

«¡Ah! ¿Pudiste oírlo?»

«¿Y cómo no? Yo estaba allí.»

«Sí, pero tan embebecida en lo que te decía el muchacho, que yo creí que no tenías oídos sino para sus palabras.»

La voz de Débora adquirió un timbre altanero: «¿De qué muchacho hablas?»

«Quiero decir el señor. El joven señor. Un muchacho —lo es, ¿no?, aunque principal— tan hermoso como lo era el rey David cuando clavó su guijarro entre los ojos del gigante.» Hizo una pausa, cautelosa. «¡Ay, así son los hombres! Apostaría a que tu enamorado, a pesar de sus aires de seguridad mientras te requebraba, tenía más miedo de ti la otra noche, que el pastorcito del guerrero en los tiempos santos. Pero no esperes que el miedo le vaya a durar siempre. Lo perderá. ¡Vaya si lo perderá! Y en seguida. Y entonces serás tú la que te asustes.»

Con un ademán tímido, Débora la interrumpió.

«Mi madre nos reñirá si nos ve charlando, sin trabajar», dijo. «Vamos.» Y se puso en marcha.

Pero se detuvo de inmediato.

«¿Qué haces?», preguntó, volviéndose.

La gruesa criada, que se había acuclillado para averiguar la naturaleza del objeto que centelleara al pasar ella junto a él, a la zaga de su señora, se incorporó jadeante. «No era nada», explicó, guardándose en el pecho lo que había recogido del suelo, de entre las hojas caídas, sin mostrarlo.

Y tras dar tres o cuatro pasos, se paró, a fin de recuperar el aliento.

«¿Tanta prisa te corre terminar las sábanas?», preguntó, con voz entrecortada. «¡Espera! ¡No te vayas!»

Caminaban bajo una enramada que, al ser atravesada por los rayos del sol, cubría de cambiantes jeroglíficos los rostros de ambas, cuando Débora salió de su hosco mutismo.

«Las sábanas y todo lo demás», susurró como para sí. «Y yo no tengo ninguna prisa.»

Hipó la criada.

«Porque eres joven, porque eres tonta. Yo sí la tendría.»

«¿Tan guapo te parece?»

«¡Guapo! ¿Y a quién le importa eso? Yo hablo de su pie, que tiene grande; de su pierna, musculosa; de sus manos fuertes, hechas para acariciar. Y de otra cosa, que le abultaba las calzas.»

«No pudiste verlo. El jubón lo tapaba todo.»

La estridente risa de la criada puso en fuga a un pájaro que dormitaba sobre la rama de un árbol lejano.

«¡Ah! ¿Te fijaste?»

Débora se paró en seco, exasperada.

«¿Cómo no iba a ver que llevaba puesto un jubón?», preguntó, al borde de las lágrimas.

La mujer madura atrajo hacia su pecho a la muchacha. «¡Mi niña!», dijo. «¡Pobrecita! ¿Por qué tiemblas? No hay motivo para tener miedo. ¿Acaso tu madre no te ha explicado lo que tendrás que hacer?»

«¿Hacer? ¿Cuándo? ¿Qué?»

«En la noche de bodas.»

Débora alzó la cabeza, que tenía reclinada sobre el hombro derecho de la criada, y se libró bruscamente del abrazo de ésta.

«Él me lo enseñará», musitó.

«Te enseñará lo que yo sé, no lo que tú imaginas.» Y, anticipándose a toda objeción, a toda protesta, a todo intento de hacerla callar, la mujer tomó la mano de Débora, la forzó a sentarse al borde de la acequia, la descalzó. —«No puedes presentarte así ante tu madre, descuidada y sucia»—, y comenzó a lavarle los pies —tan bellos, inocentes e indefensos—, sin interrumpir por un momento su perorata.

«Lo que te mostrará», su voz era como un murmullo, «no va a causarte miedo, lo sé, sino sorpresa; pero tú haz como si te asustaras: eso lo enorgullecerá. Y, aunque no te produzca dolor cuando te hurgue con ello entre las piernas, grita. Así se sentirá fuerte. Y procura arañarlo en el pecho, y rozarle los pezones, para que el deseo no se le adormezca con el miedo. Te temerá. Ya antes de que te desnudes, te temerá. Y más, cuando le muestres el vientre», se lo acarició furtivamente, «que tienes tan tierno y firme. A los hombres jóvenes les impresiona ver que las mujeres, hasta las que son casi niñas, tienen tanto vello rizoso entre las piernas.» Rió largamente, hasta que a sus ojos afloraron unas lágrimas mezquinas. «¡Tienen miedo de que se les muerda con lo que hay debajo del vello!» Uno tras otro, secó con su falda los pies de la muchacha, besándoselos luego, en un arrebato que la hizo enrojecer —¿o la afluencia de la sangre a su rostro fue debida a la postura forzada que tuvo que adoptar para que sus labios alcanzaran los delicados dedos?—. «Tú», prosiguió, «cuando lo veas así, tembloroso y desconcertado, lo tranquilizas. Acaríciale la cara mientras él intente abrirse camino entre tus muslos, y una vez que consiga vencer la resistencia de tu cuerpo, y entrar en ti, no olvides musitarle entrecortadamente palabras tiernas, y gritar, aunque poco —no vaya a encontrar en tus gritos un pretexto para interrumpir su tarea—, como si tuvieras que dominar un dolor que —él debe comprenderlo— tú no achacas a brutalidad, sino a su indomeñable naturaleza de varón. ¡Ay, son como niños! Y, en el fondo, ¡tan débiles! Por ello, si ves que su virilidad desfallece, que su soberbia mengua, pídele que entre más hondo —y más, y más—, y cierra los ojos como si no pudieras soportar el placer. Y si es preciso, incorpórate, y busca sus bolsas, y tironéaselas, gritando: ¡amor, amor! Luego, cuando él, tras su última pataleta, se desmadeje sobre ti, permanece unos instantes con los ojos cerrados y el cuerpo tenso, y no bien se retire, alza los párpados, sonríele y, dándote vuelta, enséñale las espaldas —sobre las que habrá de desplegarse tu negra cabellera—, las nalgas temblorosas, las plantas de los pies...»

Sin escuchar más, Débora —por un sendero casi borrado, entre los árboles, entre las flores y los matorrales— se alejaba, corría, huía.

El jardín era grande. De planta regular, su trazado —caprichoso—, fruto de decisiones aisladas entre sí y distantes en el tiempo, lo tornaba caótico, y hacía difícil orientarse por la suma de zonas heterogéneas que lo constituía. Aun conociéndolo pormenorizadamente, ¿de qué forma adoptar en él una dirección justa, acorde con los propios deseos, sino por referencia a su centro oculto —la glorieta donde se abría el pozo—, que sólo revelaba su sentido ordenador a quien se situaba en el interior de su perímetro?

Como instintivamente, como impulsada por un ciego tropismo, la muchacha se encaminó —pero, ¡cuán penosamente!: arañada por los matojos y las ramas bajas que se interponían en su carrera, acezante, manchada de barro y de polen— hacia ella, y no se detuvo hasta que la hubo alcanzado y, con el acostumbrado sentimiento de maravilla, pudo admirarla una vez más: cuadrada, delimitada por cuatro robles inmemoriales, de apariencia pétrea, y por macizos de flores de color blanco —nieve en el seno del incendio verde de sus prietos tallos, de la vegetación modesta sobre la cual se alzaban éstos—, con el suelo cubierto por una gruesa capa de rubio albero, en el punto de intersección de sus dos diagonales se abría el pozo, en cuyo fondo las aguas semejaban un sol caído, delicuescente: un sol negro. Nunca las aves —ni aun las más soberbias— cruzaban en vuelo por sobre su brocal.

Débora salió de la sombra fresca, protectora, del boscaje, y el sol de los altos cielos la abofeteó: bajo el impacto de la luz cegadora, ubicua, y del calor que se arremolinaba a su alrededor, trastabilleó la muchacha, llevándose a las sienes sus manos húmedas.

¡Terrible explanada! El albero parecía centellear. En círculos concéntricos, un crepitar incomprensible crecía y se extendía, y, al llegar a la zona cubierta de vegetación, refluía hacia el centro de la glorieta, con ira acrecida, iniciando de nuevo, una vez alcanzado el pozo, su progresión estéril. Ni un soplo de brisa atemperaba los rigores de la canícula.

Débora, una mano en los ojos y la otra sobre el diminuto corazón, dio varios pasos, a ciegas, por el albero crujiente. Dos pájaros, engarfiados sobre una rama, la observaban desde la espesura.

Resonó su nombre en el ámbito de la árida explanada —la criada llegaba— y la muchacha corrió. Hacia el pozo.

¡Ah, qué profundo éste! E inquietante: una vagina en

forma de falo.

Débora cayó.

La criada, con las manos como garras sobre las rodillas, gritaba, rugía, mugía al borde mismo de la espesura. Pero aunque su alarido, sin límites ni eco humano, ascendía sin tregua en volumen e intensidad, no bastó para ocultar el ruido execrable: el ruido producido por el choque del cuerpo de Débora, tras el largo vuelo de su descenso vertical, contra el agua retumbante del pozo.

¡Qué fragor!

Hundiéndose en el albero, que se le adhería a las plantas de los pies húmedos, el jardinero del escardillo y la acequia recorrió con celeridad, aunque penosamente, el espacio que separaba la primera línea de los árboles del pozo. Se precipitó sobre el brocal —la mujer seguía gritando—. Deshizo con dedos temblorosos el nudo que retenía el sogal. Metió un pie en el cubo que pendía de uno de los extremos de éste, y, con un esfuerzo que tensó todos los músculos de sus brazos y de su espalda, comenzó a soltar la cuerda, a descolgarse hacia las secretas profundidades del pozo.

Un instante después, la glorieta bullía.

Murmullos, gritos encontrados, llantos y suspiros desaparecieron como por ensalmo cuando el padre de Débora, demudado el semblante y con movimientos desordenados que no condecían con su habitual talante, apareció en la explanada. Inmóvil por un momento, como los otros, que lo contemplaban expectantes, él, a su vez, los recorrió con la mirada, posó luego ésta sobre el pozo, y, cavernosamente, comenzó a llorar.

«¡Mi hija! ¿Dónde está mi hija?»

Pregunta ociosa. ¿Cómo ignorarlo? Aquellas caras descompuestas, aquel instintivo pudor del sufrimiento ajeno que alejaba a hombres y mujeres del pozo, aquel ominoso chirrido de la garrucha y aquel áspero crujir del tenso sogal, ofrecían una respuesta a cualquier pregunta sobre lo acaecido mucho más explícita que la más detallada explicación verbal.

Del pozo, casi inaudible, surgió una voz.

«¿Qué dice?»

Todos se precipitaron hacia el brocal.

«¡Paso, paso!», gritó Eliezer. Y luego, abocado a las profundidades: «¡Mi hija! ¿Y mi hija?»

Le contestó, como un eco, la voz del jardinero: «¡Me caigo!» Había angustia en sus palabras. «¡Sostened la cuerda! ¡Por favor!»

Volviéndose hacia sus subordinados, Eliezer ordenó —recuperados sus hábitos de organización, de mando— de modo tajante:

«Coged el sogal por ahí. No, no tantos. E id soltando poco a poco, hasta que yo os diga. Y callaros todos, para que pueda oír al hombre que está bajando.»

Se hizo, de inmediato, el silencio. Pero no por completo. Alguien seguía gimoteando.

«¿No me habéis oído?», preguntó Eliezer, con ira. «¡Ah, eres tú, María! Ven, no llores.» Y, pasándole el brazo izquierdo por encima de los hombros, la atrajo furtivamente hacia sí.

El chirrido de la polea, obsesivo en su monotonía, cesó de golpe, antes de que se oyera gritar desde el fondo del pozo: el cubo, con el jardinero, había alcanzado el nivel del agua.

Eliezer se puso de pechos sobre el brocal.

«¿La ves? ¿La ves?»

No hubo respuesta abajo. Arriba, todos contenían la respiración.

«¡Mi hija está ahí!», susurró la mujer.

«Calla, calla.» Y de nuevo hacia el hombre que, a juzgar por el rumor que ascendía de lo hondo, chapoteaba en el agua: «¿La encuentras?»

La respuesta fue indirecta:

«¡Tirad, tirad!», dijo el jardinero. «¡Con más fuerza!»

Otras manos asieron la cuerda. De hecho, todos los hombres presentes comenzaron a tirar de ella. Menos Eliezer, que, siempre con un brazo sobre los hombros de su esposa, observaba cómo sus criados se alejaban del brocal, con la soga entre los dedos agarrotados por el esfuerzo, a medida que se acortaba la distancia entre el jardinero con la muchacha y la boca del pozo.

Asomó la cabeza del jardinero, y las mujeres, que hasta allí no habían podido colaborar en la acción, dejaron escapar un murmullo alborozado. Pero, en seguida, éste se cortó en seco: el cuello de la muchacha, cuyo busto acababa de aparecer de golpe como consecuencia del incremento de la fuerza aplicada por los que tiraban en su alegría al ver que el rescate tocaba a su fin, estaba antinatural, ominosamente torcido. Y su brazo derecho —se comprobó luego— pendía inerte, inequívocamente fracturado, del hombro, tan blanco antes y con tanta roja y espumante sangre ahora. Y las piernas, ¡ay!, no hacían bulto bajo la falda desgarrada, sucia de cieno, con trágicas manchas purpúreas.

«¡Sujetadlo!», gritó alguien. Y muchos brazos rodearon el cuerpo de Eliezer, que se desmadejaba como si el alma lo abandonara.

Delicadamente, el jardinero depositó en el suelo el cuerpo de Débora. Sin una palabra, se inclinó sobre éste la madre de la muchacha. Que lo besó, y lo besó —en la zona sanguinolenta del cráneo dejada al descubierto por el cuero cabelludo semiarrancado, en los labios lívidos, en los pies lacerados—, revolviéndose, furiosa, cada vez que alguien —para calmarla, para consolarla— se le acercaba. Sólo cuando, al acariciar uno de los brazos quebrados, éste crujió, acertó la mujer —en adelante, ya una anciana— a romper en lágrimas.

Eliezer, entonces, liberándose de aquellos que lo sostenían, comenzó a dar zancadas de acá para allá —los ojos estrábicos y dementes—, corrió hacia un extremo de la glorieta, cogió allí una azada —muchos se apresuraban ya a darle alcance— abandonada por alguien en su apresuramiento para socorrer a la muchacha, la levantó penosamente sobre su cabeza y la arrojó contra el albero, al tiempo que trastabilleaba y caía, y, gritando «¡Dejadme, dejadme!», comenzó a lanzar al aire grandes puñados de albero, mientras mascullaba y rugía, mientras —el Señor, bendito sea su nombre, lo olvide— blasfemaba en hebreo.

Toda muerte es enigmática, según puedo atestiguarlo yo, que, anciano, recuerdo muchas, ninguna de las cuales dejó de sumirme en un estupor espantado. Ese estupor crece —también guardo memoria de ello— cuando las circunstancias que rodean una muerte dada son, a su vez y en sí, enigmáticas. Como en el caso de Débora. ¡Pobre criatura! Y no digo pobre porque muriera con la ignorancia en la carne, desnuda de experiencia, grávida de expectativas que nunca se actualizarían, pues no sé de conocimiento corporal, ni de experiencia mundana, ni de realización estrictamente personal que no se alcen sobre el telón de fondo del drama; que, a través de una conciencia creciente de la muerte, no tengan ésta como término. Lo digo porque su inesperado fin, y los hechos que siguieron, se prestan a interpretaciones muy varias, de las que algunas son terribles si se considera la presumible fragilidad de ella, una muchachita sin más apoyo en su indefensión que una voluntad oscura, dotada —como si dijéramos— de autonomía, única detentadora del secreto de la finalidad que la movilizaba.

Son muchas, en efecto, las hipótesis que pueden aventurarse sobre la causa de la mortal caída. Y, lamentablemente, como siempre ocurre con las hipótesis que hacen referencia de alguna manera a las motivaciones últimas de un ser humano, ninguna puede ser confirmada con plenitud. Fijaos bien en lo que os digo: aunque ella misma, la pálida Débora, apareciera de pronto ante nosotros —las huellas indelebles de la muerte en su rostro macilento— y, con voz pastosa, hiciera suya alguna de las hipótesis posibles, yo no consideraría, ni aun así, que la cuestión quedaba zanjada. ¡Habría tantas posibilidades de que mintiera; de que, ni aun ahora, supiera realmente lo que ocurrió!

Con las palabras que siguen, no pretendo, en consecuencia, ofrecer la clave del enigma, sino multiplicar las conjeturas a su respecto. Y ello, no porque crea que de la confrontación entre las mismas pueda alguna salir privilegiada; ni porque piense que el conjunto de todas ellas configurará la solución del problema planteado —no cabe enumeración que agote los posibles—. Comprended que sólo busco, alumbrando algunos de los múltiples sentidos que cabe asignar al hecho de la caída y a los actos y voliciones que lo precedieron y —quizá— lo motivaron, restituir a ese hecho la radical ininteligibilidad que constituye su esencia, y hacer factible que nosotros podamos aceptar su misteriosidad intrínseca sin negarnos en cuanto hombres, en cuanto seres fieles a la misión primera de dar nombre, de inventar signos.

¿Cayó Débora en el pozo, y de éste en la tumba, por puro azar, como consecuencia de una adición fortuita de circunstancias desafortunadas? Nada —excepto, tal vez, la altura del brocal— hace legítimo el rechazo de esta hipótesis. El cuerpo y el espíritu de la muchacha estaban revueltos: ¿cómo admirarse, pues, de que, no poseyendo un control perfecto de ambos, y habiendo desaparecido la coordinación necesaria entre los mismos, le fallara un músculo, no se produjera un movimiento reflejo con la celeridad deseable o su mente interpretara mal un dato nuevo que había modificado de alguna forma el cuadro de sus percepciones? Por otra parte: ¿no entra en lo posible que, habiendo sufrido ya varios desfallecimientos en el transcurso de aquella mañana, éstos se reprodujeran al asomarse al fondo del pozo? Y, por último: ¿sería abusivo suponer que algo falló en el brocal; que un ladrillo, al desprenderse, la arrastró en su caída; que alguna sustancia resbaladiza en el reborde del pozo motivó su deslizamiento hacia las aguas sombrías?

¡Ah!, pero, quizá, el vertiginoso descenso de la muchacha a la muerte no fuera motivado sino por un movimiento tan natural como el que hace que las plantas se orienten hacia el sol. ¿No habéis visto nunca cómo algunas de ellas, en su avidez de luz y calor, llegan a alterar sus habituales apariencias, alargando desmesuradamente ciertas zonas de sus cuerpos a fin de recibir, por lo menos sobre las mismas, la caricia que tanto éstas como el resto desean? Así, muy probablemente, sucedió con Débora: con brasas en el ánima y en el cuerpo, insolada y deslumbrada, su vientre y sus pechos, sus pies de fatigadas plantas no pudieron resistir la llamada de las gélidas aguas, los sortilegios de las rumorosas sombras, y allá fue ella, en un vuelo irrepetible, a sumirse en las profundidades, sin que no ya su voluntad, sino ni siquiera su conciencia, tomaran parte en el mismo.

Tal vez, no obstante, todo ocurrió de modo muy distinto: como consecuencia de una volición. ¿Quién podría decirlo? Y aunque tuviéramos certeza de ello: ¿quién podría determinar hasta qué punto era consciente la muchacha de la naturaleza de esa su volición, hasta qué punto preveía las consecuencias de la misma? Afortunadamente, no es nuestro lote juzgar. Prosigamos, por ello, sabedores de que nuestro pensamiento no puede acarrear ningún daño —y sí, en cambio, cooperar en la obra de la luz—, indagando. Esta es la siguiente hipótesis que propongo a vuestra consideración: Débora, incapaz de hacer frente airosamente a los conflictos que, de origen diverso, la instalaron en una angustia insuperable aquella mañana fatal, optó por eliminarlos mediante el expediente de acabar con quien los había hecho posibles: ella misma. ¡Lamentable decisión! Aunque explicable. Pues, ¿cómo ignorar que se sintió asaltada de súbito por deseos a los que no sabía dar nombre —sobre los coturnos de sensaciones que sólo eran nuevas por poseer una desacostumbrada intensidad y por remitir a lo ignoto, se alzaban, sin que pudiera establecer cuándo esto había ocurrido, seres descomunales con los que nunca antes tuviera tratos, espantajos siniestros en los que con horror discernía rasgos que le eran familiares—?, ¿cómo cerrar los ojos al hecho de que se sintió presa de apetitos —¡y de qué modo tan solapado, tan arrollador!— que su recta conciencia moral se negaba a aceptar como propios —un hombre extraño, que quizá ni siquiera se contara entre los hijos de Israel; que, desde luego, no era su prometido; y que, por añadidura, desempeñaba la baja profesión de jardinero, había transformado con su sola y lejana presencia, la tibia corriente de la sangre que hasta entonces recorriera sus venas, en un líquido inflamado, con no sé qué cortantes sustancias minerales en suspensión, que quemaba y desgarraba su seno, que ponía en sus labios palabras impuras, a duras penas retenidas—?, ¿y cómo, en fin, pasar por alto que la criada, al invadir su intimidad de la peor manera —al mostrarle en el espejo de su experiencia degradada el verdadero rostro de una pasión que Débora, mal que bien, había acertado a no contemplar de frente, y, lo que es más, al forzarla a reconocer dicho rostro como propio y, a la vez, común a todos—, le cerró definitivamente el paso, ¡serafín irrisorio!, al paraíso de su pasada ignorancia de sí? La muchacha no pudo soportar esto, la idea de que en adelante tendría que arrastrar tan pesado fardo, y, abrazándose a él, se dejó caer.

Pero no nos detengamos aquí. Elevémonos hacia ese ámbito donde lo específicamente humano, sin ser negado, aparece trascendido, abierto a las solicitaciones del espíritu. Alcémonos hasta el lugar en el que todo lo que hasta ahora hemos conjeturado, conservando su precaria validez, se torna centón de signos que apuntan hacia más vastos horizontes. Y hagámoslo de la mano del *dayyan* andalusí Bahya ben Yosef ibn Paquda, pues, ¿qué mejor guía que su tratado sobre los deberes de los corazones para adentrarse en las complejidades del diálogo que el cuerpo y el alma mantienen entre sí, y en las del, más dramático, que se establece entre las dos propiedades antagónicas de esta última: la concupiscencia y la razón?

¡Asombroso sabio! Él, que supo conservar incólume su fe sin, para ello, tener que cerrar los ojos a las tentaciones que, envueltas en los ropajes multicolores de la falsa sabiduría musulmana, se afanaban para apartarlo del recto camino; él, que consiguió extraer de los fárragos de la fantasía islámica la quintaesencia de la verdad, él pensó, y dijo y dejó escrito que el Señor (¡bendito sea!) situó el alma en el cuerpo del hombre para ponerla a prueba, ante todo, pero también, para que auxiliara a ese cuerpo de débiles defensas, y cooperara así al mantenimiento del orden del universo. ¿Advertís qué abismo sin fin esbozan estas palabras que yo, insensato, emito sin ningún estremecimiento? Pues, al concederle una naturaleza donde coexisten la de los ángeles sin pasiones y la de los animales sin razón, el Altísimo hizo factible que el hombre pudiera romper el equilibrio por Él querido entre esas dos postulaciones contrapuestas que, originadas por las voces de los seres celestes y por el clamor oscuro de las bestias de la tierra, sólo entran con conflicto en el seno de cada uno de nosotros, microcosmos que encierra en sí todas las virtualidades del ilimitado universo, pero enriquecidas por otras, gracias a las cuales el contacto entre el Creador y lo creado, roto por el acto de la creación, se restablece. De aquí, la dignidad eminentísima de nuestra condición, a ninguna otra comparable; de aquí, también, el riesgo abyecto que a nosotros sólo acecha: la expulsión a las tinieblas exteriores, donde —según se dice— reina el caos, de donde —según se dice— está ausente el Altísimo, nuestro Señor.

La división, sin embargo, no existe tan sólo entre el alma y el cuerpo. También la encontramos, ¡ay!, en el seno mismo del alma. Pues —¡prestadme atención!— aquella propiedad de ésta, la concupiscencia, que colabora con el cuerpo en la tarea de asegurar la conservación del individuo y de la especie, del orden que en el mundo hay establecido, puede acabar por entrar en pugna con aquella otra, la razón, cuya finalidad consiste en remitir de continuo el hombre a su Creador. ¡Qué terrible el conflicto entre ambas, que estalla, o bien como consecuencia de un fortalecimiento de la razón —fruto de prácticas piadosas, de una meditación incesante sobre los misterios supremos—, o bien como efecto de una inesperada e incontenible extensión de las exigencias del cuerpo, que desborda el control de la concupiscencia y aterra literalmente a la razón, la cual ve en dicha extensión una amenaza contra aquello hacia lo cual tiende! Y yo pregunto: ¿acaso no pudo ocurrir esto con Débora? ¿No cabe concebir su caída como provocada por un brusco retroceso hacia su elemento nativo de la razón, que, sustancia sutil, extraña al mundo de los cuerpos groseros, se sintió incapaz de hacer frente a la repugnancia que le produjera la brutal irrupción de las fuerzas de este mundo en su ámbito, y no encontró otro medio de escapar al contacto infamante que promover la extinción del cuerpo de deseos?

¡Ah! Celaos el rostro ahora, pues voy a llamar con el puño desnudo a la porterna de un arcano mayor, y me contestará una voz —que no oiréis— y lo que diga —que yo os transmitiré— podrá pareceros blasfematorio. ¡Vigilad para que no os extravíe! Dice así: según el Zohar, un pozo alimentado por un arroyo es signo de la unión magnífica de lo masculino y de lo femenino, del Rey y de la Dama en la noche sin auroras del sumiso esplendor, del fuego negro. ¿Lo sabía Débora? Y si no, ¿lo sabía aquella que vela en una torre y espera lo que nunca llega? Esa doncella, que era Débora —pero Débora lo ignoraba—, tembló en el ala de los gorriones cuando lo masculino se le manifestó: yelmo broncíneo sobre la pelada calavera con ojos de mezquina llama. Y llegó —era aquélla— la hora que congrega los terrores. ¿Cómo iba Débora a hacer frente, en el desvalimiento de su femineidad sin fronteras, a lo que, nunca virgen, con su mera existencia la negaba? Ella huyó, pues, primero; pero luego, no: con los ojos y el alma desorbitados, osó plantar cara a lo que hasta entonces la hostigara; y lo hizo, no por valentía —tampoco por desesperación—, sino porque bajo la mueca, con baba y sangre, del enemigo entrevió la sonrisa, las flores secretas de lo viril: el rostro del ángel, celado hasta aquel entonces por la corona de fuego, por la máscara terrible de su naturaleza extraña. Y buscó el lugar de la conciliación. Y lo encontró en el pozo. Y en él se sumió. Y allí encontró la muerte. ¿Tan sólo? Tal vez, alguien la condujera. Tal vez, alguien, a su través, buscara propiciar —¿y quién sabe si forzar?, pues está escrito que todo acto en la tierra encuentra su correspondencia en los cielos— las inauditas nupcias, la inimaginable *siwuga kadischa,* que reunirá para siempre, ante el silencio aterrador de los coros angélicos, a Tefireth y Malchut, la tercera y la décima *sefira,* el despliegue masculino, y el femenino, del misterio de la divinidad.

Pero —orillando estos secretos, peligrosos aun para ser pensados— retomemos el hilo de nuestra historia. Y hagamos un lugar en la misma al dolor de Baruch. Dolor estupefacto —muy probablemente—, que no rompería en lágrimas, ni se diluiría en gemidos; que, callado, realizaría su obra oscura en el seno del vacío: allí donde el alma, ignorante de sí, susurra incansablemente. Se habla, sin embargo, de una alteración —no por sutil y discreta menos perceptible— en sus costumbres: se abstraía con frecuencia, se empecinaba en un mutismo triste del que resultaba difícil extraerlo, hizo suyos los hábitos del solitario, tan incongruentes a su edad. Muchas horas —dicen— pasaba en lugares ignorados, que los peores prejuzgaban pecaminosos.

Baruch, con la espalda apoyada sobre el tronco de una encina cuya única raíz al descubierto le servía de asiento, extendida una pierna y replegada la otra —la mano derecha, encima de la rodilla doblada; la izquierda, entre las hierbas ralas que, tras cubrir la loma en la parte superior de la cual el árbol desplegaba sus ramas, se extendían más allá de ésta, subiendo y bajando incansablemente, alejándose siempre de las murallas de la ciudad, cuyos rumores, gracias al viento, la tornaban engañosamente próxima—, hizo girar con lentitud la cabeza sobre su cuello, y, con mirada árida, recorrió una vez más el horizonte, al tiempo que iba dando nombre, en un susurro, a todo lo que ante sí descubría: árboles —ignoraba su denominación específica—, aislados y en grupos, de dimensiones muy varias, oscuros y viejos sin excepción; accidentes del terreno —¿vaguadas?, ¿alcores?, y, en la lejanía, ¿crestas?—, engañosos tal vez, más profundos, o menos, y más elevados y fatigosos de alcanzar de lo que la vista permitía suponer, y la imaginación, presentir; río —sí, debía estar por ahí; pero, ¿aquel centelleo no era, más bien, el de las aguas podridas de una charca?—; y matojos, y matorrales, y plácidos campos de cultivo; y un cielo tan negro como el hierro de un casco. Todo banal, todo reemplazable, todo ajeno, feo, carente de sentido, sin ligazón entre sí; todo opaco, todo inútil hasta la obscenidad, no sugerente, de materia espesa; todo innecesario, sin eco en la fantasía. ¡Imposible —el muchacho, colérico, tiró con fuerza de un junquillo, sin conseguir arrancarlo de la tierra: su mano resbaló por la superficie del mismo, lacerándose—, imposible abrirse un hueco aquí, en medio de tanta muda hostilidad, de tan agresiva indiferencia, para vivir como debe de vivir un hombre —sonrió con ironía que quiso maligna, pero que apenas si resultó triste—: con lejanías presentidas, sólo alcanzables por el deseo!

Una ventolina enmarañó los cabellos del muchacho, cegándolo. ¡Aire estúpido! El suelo estaba frío y duro; él, anquilosado. Estiró la pierna derecha. ¡Una postura grotesca!

¿Y más allá del horizonte? Otro horizonte, tan sólo. Siempre igual —las diferencias, desdeñables: pequeñas variaciones (pequeñas, para el alma) sobre un mismo motivo, el canto de un idiota que sólo acierta a repetir en diversas claves el único y pobre muñón melódico que un día consiguiera retener en la memoria. ¡Ya, basta! Y así, hasta Samarcanda, cuyas rosas se deshojan al ser tocadas, cuyas cúpulas de oro no pueden ser vistas desde el interior del recinto de la ciudad, cuyo misterio se va de continuo con los camelleros de ojos oblicuos que parten hacia lo desconocido. ¿O tampoco los acompaña a ellos? En ese caso, dejando atrás sus aduares dormidos en el vórtice de las tormentas, habría que seguir. Seguir hasta alcanzar el fin del mundo, el lugar donde el plano terrestre acaba en una silenciosa caída de aguas —todos los mares del mundo formando cascada—. Es decir, hasta la muerte.

¡Pero yo no quiero navegar por las aguas de esos mares! ¡Pero yo no quiero ver las flores que se multiplican por las riberas del océano abisal en el que ellas confluyen! ¡Ni volar por el cielo negro a lomos de un caballo de fuego! ¡Ni besar los labios de doncellas que ignorarán por siempre la vejez! Yo quiero el oro y las fresas sobre la atroz podredumbre. Desfallecer entre la nostalgia y el deseo.

«¡Imbécil!», musitó Baruch. Y sonrió torcidamente. Aunque con los ojos cuajados de lágrimas.

Cantó un pájaro sobre su cabeza, en la enramada, y él, silbando, repitió su diminuta canción. El pájaro, con ruido de hojas, alzó el vuelo y, tras aletear por los alrededores, se posó sobre una piedra, a pocos pasos del muchacho. Éste lo contempló un rato, silbó —animándolo al canto— y, ante el silencio de la pequeña ave, hurgó en su jubón y sacó una manzana, que mordió ferozmente. Masticó, haciendo muecas, el trozo que desprendiera, y luego, sin llegar a tragarlo, escupió. ¡Uf! Miró torvamente a su alrededor. Y arrojó con saña el fruto áspero contra el pájaro, que, despavorido, se perdió en las alturas.

Un rumor, ininterrumpido y creciente, a espaldas de Baruch, movió a éste a buscar con los ojos la causa del mismo. Se incorporó, para ello, a medias, haciendo descansar todo el peso del cuerpo sobre el brazo cuya mano reposaba sobre la hierba —era el izquierdo—, torsionando el tronco y las piernas sin mover los pies. Desde esta postura, que sólo pudo mantener escasos instantes —fallaron los músculos del brazo forzado, dando con el cuerpo en tierra, sin que el ruido que ello produjo hiciera cesar el rumor, cada vez más próximo—, el muchacho vislumbró, entre los rastrojos —que a él le estorbaban la visión, y a quien llegaba, el paso— cómo un anciano, vestido con ropas de una blancura resplandeciente, tocado con un extraño gorro también blanco, avanzaba, portando dos varas floridas y con la cana barba enmarañada por el viento, hacia donde él se encontraba.

Lo conocía. Era Salomón ben Adreth, el anciano cortejador de los postreros misterios, a quien los cristianos (¡el Santo los confunda!) tenían por loco. ¿Loco? De agónica ternura por el Señor, si acaso. ¿No se decía —y los que así opinaban, disponían de fundados elementos de juicio— que su respuesta al pavor que en él despertaba pensar en el Altísimo —su ocupación única, del alba a la medianoche— consistía en un abandono tímido y alborozado —como el de la muchacha que, entre las sábanas frescas de su cama, acecha el sonido de los pasos de quien la hará mujer—, gracias al cual lograba evocar de consuno la Misericordia y la Justicia divinas?

Con los ojos patéticamente cerrados —porque está escrito que «la bella virgen no tiene ojos»: los perdió en el exilio, entre lágrimas—; musitando de modo ininteligible palabras que, a juzgar por la reverencia con que eran articuladas y el aire absorto con que eran oídas, no podían sino configurar un texto sagrado; con las varas floridas temblando en los brazos entecos, toda la gloria demente de Israel aureolando su cabeza, el anciano pasó por delante de Baruch sin advertir su presencia y prosiguió su patético caminar, zigzagueando, hasta volverse pequeño, más frágil aún de lo acostumbrado, para el muchacho que lo observaba. ¡Iba al encuentro de la *Chekina,* de la novia del *sabbat,* para honrarla y acompañarla en aquella hora en que el viernes declinaba, en aquella hora en que los demonios y los Nige Bne Adam se aprestaban ya a refugiarse en el gran abismo! Sus pisadas, vacilantes por los años pero seguras por la indomeñable fe, metamorfoseaban el suelo que recorrían, los campos sin belleza que circundaban la ciudad, en el rumoroso prado sacro, en el jardín inviolable donde pujan las místicas manzanas.

«No la encontrarás, Salomon ben Adreth; no la encontrarás», susurró, lloroso, Baruch, sin perder de vista al viejo devoto, tan delicado e indefenso en la lejanía. «Es en vano que recorres los campos cada atardecer del viernes a la espera de la que debería venir escoltada por las almas de innumerables difuntos. Estás solo, como yo, a quien, a diferencia de ti, ni siquiera acompaña la esperanza. La novia que tú esperas no llegará; la mía, tampoco. Por eso lloro.»

Y llorando estuvo hasta que la noche hubo ocupado, una tras otra, todas las torres y fortalezas del cielo.

Era ya medianoche pasada cuando Baruch llegó ante su casa. En silencio y sin luces, la masa sombría de ésta parecía inclinarse, por sobre la callejuela serpenteante y empinada, hacia el inmueble frontero, deshilachando con sus caprichosos e irregulares remates el terciopelo negro del cielo. Baruch tanteó puertas y ventanas sin encontrar ninguna que cediera a su presión, y, al término de estas infructuosas tentativas, rodeó la mansión y buscó en su parte trasera un acceso practicable, encontrándolo en una cancela que alguien —chirriaron los goznes al girar sobre ellos la pesada hoja— dejara abierta. ¿Por indicación de su madre? La mera posibilidad de que así hubiera sido, le dio ánimos para aventurarse en la procelosa oscuridad que, una vez cerrada la cancela tras sí, lo dominaba todo.

En el seno de las más densas tinieblas, apenas había dado cinco o seis pasos, lo asaltó el recuerdo de rabí José ben R. Judá, cuyas palabras rememoró con un escalofrío: «Dos ángeles acompañan al hombre —está escrito que dijo— el viernes por la tarde, al regreso de la sinagoga: uno bueno y otro malo. Cuando el hombre entra en su casa, si encuentra las luces encendidas y la mesa dispuesta, el ángel del bien dice: ¡Quiera el Cielo que lo mismo sea el *sabbat* que viene!; y el ángel malo, a regañadientes, responde: Amén. Si no, será el ángel del mal quien pida que lo mismo sea los próximos *sabbats*, y el ángel bueno se verá obligado a responder: Amén.» El muchacho se llevó una mano al corazón. ¿Estaría aún, al menos, su comida servida sobre los blancos manteles de la mesa festiva?

No lo estaba. Apoyado sobre una de las jambas de la puerta del comedor, lo comprobó en cuanto que la densa oscuridad inicial —sus ojos se habían habituado a ella— dio paso a una penumbra apenas menos impenetrable que la negrura precedente: vio la mesa en desorden, con el mantel maculado, con las velas de los candelabros apagadas, con la hermosa copa de plata para el vino que su padre usaba en la conmemoración del día santo, vacía. Y no vio más porque una cortina de lágrimas se lo impedía. Susurró: «Vamos, glorifiquemos al Señor con nuestros cantos; aclamemos a la Roca de nuestra salvación.» Sorbió con ruido. Y luego, de modo incoherente: «Que la paz sea con vosotros, ángeles del servicio divino, ángeles del Dios supremo.»

Se encontraba, sin saber cómo, caminando por un largo pasillo, en el que la oscuridad y la angustia multiplicaban las perspectivas contradictorias y engañosas. ¿Era porque, inquieto, se volvía con frecuencia para echar un vistazo a sus espaldas, por lo que el recorrido le pareció, a partir de un cierto punto, interminable? Esta explicación, que en cualquier otra circunstancia hubiera juzgado satisfactoria —y aún más, la única posible—, en aquel momento no le satisfizo: tenía la impresión, turbadora, de que el pasillo crecía bajo sus pasos, conduciéndolo no a su habitación —donde estaría a salvo (¿por qué?) de la agresión de las fuerzas del otro lado—, sino a un lugar inimaginable, dotado de una dimensión suplementaria, impía. Se detuvo, así, con el corazón palpitante, acechando como un animal feroz el surgimiento del más pequeño ruido, y no se animó a proseguir su caminata hasta que, paradójicamente inquieto por el absoluto silencio —había retenido la respiración, sin advertirlo—, consideró que el sonido de sus pisadas podría constituir el equivalente de un compañero de confianza.

Casi gritó. Bajo la ventana abierta al patio interior, que con la luz lunar a la que daba paso había restablecido súbitamente el orden y la coherencia en el espacio, había una mancha —desmesurada— de humedad que, sin dejar de ser tal, también era otra cosa —y por ello, horrible—. ¿Un animal —pero fabuloso—? ¿Una bestia sin corazón? Se sintió desfallecer. Y hubiera caído de no ser por su *nechama yethera*, «*Schema*», dijo; «*Schema, Yisrael...*»

No, no era un animal. Sobre la superficie leprosa del muro se congregaban crecientes multitudes. Pensó: las almas del *sabbat*. Y ello lo confortó. No sabía bien por qué —siempre había temido encontrárselas, a pesar de que ello hubiera supuesto una prueba de la propia santidad—. «Son sólo manchas, un batallón de sombras.» ¡Qué temerosa resonaba su voz! Decidió seguirlas. Porque las muchedumbres —ya lo eran— progresaban. ¿Hacia dónde?

Su habitación había quedado muy atrás cuando el muchacho oyó, o creyó oír, que de la pared, de los fantasmas vanos que la humedad congregaba sobre el muro, surgía un inquietante, y trémulo, coro de voces, de llamadas. «Es Satán», dijo. Y estas palabras suyas lo abocaron a un vértigo de horror. Con el cabello erizado, con el vello de las piernas y de los brazos de hirsuto acero, corrió, y corrió, y corrió, hasta que un resplandor brotó —demasiado lejos, ¡ay!— ante él. «Ya están aquí. ¡Ya me tienen!» Cerró los ojos. Se apelotonó sobre sí. Dejó de prestar oídos a todo lo que no fuera el retumbar sordo de su acongojado corazón.

Al abrir los ojos, tras unos instantes fugaces y eternos de perfecto horror, advirtió que el resplandor insólito —por mate, por difuso— que percibiera en su carrera, persistía, aunque atenuado, y además, que los gritos ensordecedores —habían llegado a serlo en el momento en que perdió el control de sus nervios— habían cesado. Sin moverse, respiró hondo y aguardó, sin saber qué. ¿Aquella música, acaso? Música celeste, más presentida que escuchada, en la que se resolvía el silencio absoluto que lo rodeaba. Música sólo comparable a la de las esferas cósmicas en su giro perezoso, y como la de ellas, exaltante y apaciguadora a un tiempo. Música hecha de ausencias, que lo conmocionó, que lo forzó a alzarse, que lo movió a proseguir su camino, rumbo a la luz entrevista.

«Se diría», musitó para sí apenas dio unos pasos, «que esa luz disminuye de intensidad a medida que me aproximo a su origen.»

Vaciló ante la puerta entreabierta, tras la que el extraño resplandor acababa de consumirse. ¿Empujaría la hoja? Cobró conciencia entonces de que la música armilar también había desaparecido, y de que en el seno del silencio creado por su ausencia se estaba engendrando una expectativa de voz que —lo supo sin sorpresa— acabaría articulando su nombre. ¿De quién sería aquella voz? Quiso saberlo, y, sin vacilar, abrió de par en par la puerta, que atravesó de puntillas, sin hacer ruido.

«¿Hay alguien ahí?», preguntó con firmeza.

Una oscuridad ciega dominaba la estancia, que él no recordaba haber visitado nunca. ¿Cuáles serían sus dimensiones, y cuál sería su forma, y cómo —si lo estaba— se encontraría amueblada? Dio dos, tres pasos hacia adelante, y luego, otros tantos hacia su derecha, en busca del muro, que no encontró. ¿Tan grande era la sala? Alargando los brazos, tanteó en el vacío, y cuando quiso darse cuenta, había perdido —en aquellas tinieblas atroces, extendidas ahora al pasillo por donde llegara— el sentido de la orientación.

«¿Hay alguien ahí?», repitió, pero de modo tembloroso.

La sangre se le solidificó en las venas al oír su nombre.

«Baruch.»

¡Era la voz de Débora!

Lloró. Larga y desconsoladamente. Hasta perder el aliento.

«¿Eres tú, Débora, pobrecita?»

El sonido de una respiración entrecortada le llegó del suelo, de un punto de éste muy próximo al que ocupaban sus pies.

«¡Débora, Débora!»

Se dejó caer. Se arrastró por el suelo hasta que de la oscuridad le llegó, acariciándole los labios y las mejillas, una columna de fuego ligero.

«Siento tu aliento, Débora. Es como el viento que, con olor a frutas, agitaba las hojas de los árboles del Paraíso. Es, también, como un río de llamas pálidas en el que quisiera quemarme. Es —tú lo sabes— como la vía de leche y plata que, por las noches, desgarra los cielos, y por la que —yo lo veo— te vas, arrastrada hacia la negrura última y más alta con los asombrados ojos abiertos. ¡Ah, tus ojos!: violetas antiguas sobre blanca porcelana. Son animales que duermen, que se desperezan y lo observan todo con curiosidad infantil; que regresan, perezosos, a sus cubiles sombríos; que aúllan cuando se levanta la luna del deseo; que desnudan sus colmillos y se agigantan, muy próximos, cuando olfatean los efluvios de mi cuerpo enamorado. ¡Morir así!: con las ardientes venas convertidas en una fuente por sus feroces dientes atareados. Pues sólo la vida separa a los amantes. ¿No ves cómo tiemblo de impaciencia ante la verja que separa la tierra de cal y arena, donde todo puja, de las dormidas praderas de asfódelos? En ella nos encontraremos... ¿Dónde estás? Sí, y allí mis dedos se perderán entre las flores turbadoras de tu intimidad secreta.»

Una mano cogió con fuerza su nuca. Una boca quemante se posó sobre la suya —con tal ímpetu, que la cabeza del muchacho cayó hacia atrás—, unos dientes de hielo mordieron sus labios, una lengua musculosa buscó la suya, empujándosela hasta el paladar, como si quisiera arrancarla de cuajo.

Casi asfixiado, aspiró ávidamente una bocanada de aire. Se oía, en contrapunto, otra respiración acezante.

«¡Débora! ¿Pero tú...?»

La voz de la muchacha tardó en contestar:

«¿Tienes miedo? ¿Repugnancia? ¿Hasta dónde estás decidido a seguirme?»

Él contestó con su cuerpo, con sus manos, con sus labios y con sus dientes. Con desordenada pasión. —¿Tras vacilar unos instantes?—. ¡Ah, los eréctiles pezones! ¡El olor acre del vello en las axilas! ¡Las espaldas inabarcables! Una inagotable suma de jadeos. Una noche de baba y gemidos.

«¡Baruch, me desgarras!»

Susurros dementes.

Y de súbito, la luz.

Y luego, el grito de quien llegaba:

«*¡Dibbuk!*»

Y por último, su caída.

Esparcidas por el suelo, con los pabilos retorcidos y humeantes, las velas, que se habían desprendido del candelabro al caer éste, iluminaban una inusitada escena: en primer término, desmayada, la madre de Baruch, como una muñeca con las articulaciones rotas, yacía —confuso revoltijo de ropas— sobre las frías losas del pavimento; más allá, convulsamente abrazados, observando a la mujer derrumbada con un máximo de dilatación en las pupilas, Baruch y otro muchacho, semidesnudos, pugnaban para escapar del delirio erótico al que estaban sometidos; y tras ellos, impenetrables, protegidas del fulgor de las bujías por un valladar invisible e inexpugnable, las más densas y acarbonadas tinieblas nunca vistas, se agitaban —torbellino demoníaco— con murmullos, con gemidos.

La voz de Débora, matinal y alada, surgió de entre los labios rojos del muchacho —¿era el jardinero que rescatara su cuerpo del pozo?— agazapada en el suelo junto a Baruch.

«Vamos. Sígueme.»

Ambos se pusieron de pie —el resplandor incierto de las velas chisporroteantes modeló con luces y sombras sus torsos musculados— y, cogidos de la mano, descalzos, pasaron sobre el cuerpo de la mujer ausentada, y, sin mirarla, se sumieron en la oscuridad del pasillo.

¡Un *dibbuk*! Un cuerpo animado por un alma ajena. ¿Advertís el remolino de interrogantes que la mera mención de ese nombre suscita? ¿Os dais cuenta de que ese ayuntamiento monstruoso plantea problemas cuya solución se adorna con la máscara inescrutable de la quimera? Ya sé que el *gilgul*, el tenebroso *sod ha-'ibbur*, la enigmática migración de las almas fue enunciada por boca de Elihu para combatir la perplejidad de Job, obstinado en sus razones ciegas. «Esto —dijo—, Dios lo hace tres veces en el hombre: rescatar su alma de la putrefacción, a fin de que brille a la luz de la vida.» Sé, también, que antiguos vigías de lo secreto extrajeron conclusiones portentosas de la visión de Nabucodonosor, el rey maldito, en procesión a través de diversas —y todas horribles— formas de lo animal hacia su perdida figura de varón. Y sé que cada hombre, cada mujer, porta la marca secreta de las transmigraciones de su alma —¡pavoroso recorrido!— en las arrugas enigmáticas de su frente, en las líneas laberínticas de las palmas de sus manos, en el aura opaca —que sólo los santos perciben— desplegada como un manto gélido alrededor de su cuerpo; y, en fin, que Isaac, el hijo de rabí Abraham bar David, reconocía por las primeras, por los surcos de la piel entre el arranque de los cabellos y el nacimiento de las cejas, si el alma de aquél a quien contempla —con qué febril curiosidad y pasmo— tenía un largo pasado de dolores o era novicia en su peregrinación de un cuerpo a otro. Todo esto, sin embargo, no sirve —si bien lo pensáis— sino para hacer más evidente el misterio de la condición, a ninguna otra parecida, del *dibbuk*; a levantar un muro de preguntas sin respuesta en torno al horror, que esquiva todo nombre, del cuerpo al recibir la visita de un huésped procedente del reino de las tinieblas.

¿Por qué, en efecto, en un cuerpo ya vivo de antiguo, cada uno de cuyos órganos, cada uno de cuyos miembros guarda memoria de su pasada historia? ¿Por qué vino a habitar el alma de Débora en la carcasa viril del jardinero? El espanto de la madre de Baruch al descubrir el secreto de aquel cuyo cuerpo fundía su ardor con el de su hijo —espanto materializado en el grito con que nombró lo innombrable y en su desmayo— constituye la cifra de nuestra estupefacción. ¿Fue, acaso, castigada Débora como consecuencia del acto que acarreó su temporal alejamiento de la vida, la corrupción atroz de su cuerpo núbil? ¿O el castigo le sobrevino a causa de la desorbitada pretensión —sacrílega para los más— que podría estimarse en la base de dicho acto irreversible? ¿Fue, quizá, el amor, amanecido apenas —y por ello, en el máximo despliegue de sus virtualidades: vivísimo resplandor que cubre súbitamente la totalidad del cielo, inflamando con rosas ígneas hasta las nubes que, en el futuro, podrían amenguar el ámbito de su expansión—, el que, con un crujido de dientes, hizo moverse al alma en una dirección vedada, forzando de alguna forma —si cabe hablar como lo hago sin pecado— la mano del Altísimo? ¿Fue, tal vez, porque para mantenerse en el camino al que, con todas las salvedades de la hipótesis, la consideramos abocada, y para cumplir con la sobrehumana misión —forzar las bodas celestes del Rey y de la Dama— que, en una suposición casi blasfema, le asignamos, se precisan más de una vida y contactos —cuya naturaleza no osaríamos hacer objeto de indagación alguna— con las potencias oscuras, por lo que el alma de Débora se vio azuzada hacia un cuerpo en el que el árbol purpúreo de las venas aún no había dado sus más sazonados frutos? Todo permite sospechar que, aunque algunos pudieran ver contradicción en ello, la respuesta a estas tres preguntas debe ser afirmativa.

Si el sufrimiento constituye el más seguro expediente

para la purificación, y el máximo sufrimiento, el único expediente idóneo para la remisión de la más alta culpa, no cabe albergar duda alguna sobre la perfecta adecuación entre una falta tan horrenda como lo es la muerte futil por libre decisión de quien la sufre o el —¿quién sabe si impío?— intento de influir en el ámbito de las relaciones que lo sagrado mantiene consigo mismo, y una experiencia de tamaña perfección en el orden del dolor como lo es la del alma encadenada a un cuerpo extraño, ajeno. Para entenderlo, apelad a vuestra imaginación. ¿Os representáis lo que supone estar sometidos a las broncíneas leyes del *gilgul* y tener conciencia de ello? ¿Lográis atisbar, aunque más no sea por intermedio de una red de opacas imágenes, en el sentimiento de quien, habiendo sido rozado por el ala de la eternidad, tiene que regresar allí donde uno corre siempre en pos de sí, sin alcanzarse jamás? ¿Y conseguís escuchar, ayudados por la fantasía, el fragor del combate sin respiro que enfrenta al alma expoliada y al alma invasora?

Si, por otra parte, amor es el nombre de un deseo —que únicamente puede concebirse extremado— de alcanzar con respecto a su objeto ese máximo grado de aproximación más allá del cual no puede haber sino una identificación que supondría la negación de uno de los dos términos en presencia, ¿no es lícito deducir que el alma teme la pérdida del cuerpo, en el que seguramente verá el único valladar que impide esa identificación entre sujeto y objeto del amor que significaría la extinción de éste, y que, en consecuencia, puede, en circunstancias extremas y animada por un impulso absoluto, buscar en un cuerpo vivo, asumiendo la condición de *dibbuk*, el último y desesperado medio de conservar su memoria de sí, de hacer factible de nuevo un avecinamiento prodigioso con el amado, de eludir la fusión anuladora?

Si, para terminar, la participación en una tarea que tiende a influir en la órbita de lo numinoso —¡y qué decir cuando esa tarea guarda relación con la *siwuga kadis-*

cha!— no es imaginable con las solas fuerzas del ser humano, sin el auxilio de las potencias que bullen al otro lado de las fronteras de la muerte, ¿qué mejor modo de abordar tan descomunal empresa que haciendo propia la extraña naturaleza del *dibbuk*, a horcajadas sobre la línea que separa los dos mundos heterogéneos de la vida y de la muerte, y por ello, pudiendo sacar un provecho ilimitado de las virtualidades de ambos, que se potencian mutuamente?

Yo pienso —fiado en mi conocimiento, que pronto compartiréis, del desenlace de la historia de Baruch y Débora—, que el alma de ésta se posó sobre un cuerpo que en vida no le perteneciera, y lo habitó establemente, porque su amor la movía a ello, y que algo o alguien permitió que así fuera a fin de propiciar una transformación en el equilibrio de las fuerzas sagradas, y que, a la vez, la estancia del alma de la mujer en el lugar que antes fuera lote de un varón, debe ser considerada como un castigo por las faltas pasadas de aquélla —entre las que ocuparía un puesto privilegiado su querencia de la muerte o su sometimiento a los sortilegios de ésta—, por haber osado contravenir las normas que rigen la migración de las almas, y por haber hecho suyo —al cobrar conciencia del mismo una vez transformada en *dibbuk*— el proyecto celeste que, con su decisión demente, hiciera posible.

¡Que nada de esto os extrañe! ¡Ni lo juzguéis fruto de lucubraciones personales, de cogitaciones arbitrarias! Pues no hay una sola de mis palabras antecedentes que carezca del apoyo de una tradición venerable, que no se inscriba en el seno de una doctrina autentificada por los santos hechos de sus creadores y por la delicada prudencia de sus transmisores. ¡Mirad!

Que la migración de las almas constituye la herencia lamentable reservada a aquellos que en vida no cumplieron con los 613 preceptos de la Tora, es opinión que muchos de entre los mejores comparten. ¿Habéis olvidado, acaso, las palabras al respecto de rabí Rahmay? A la pregunta de sus compañeros: «¿Por qué ese impío prospera y este justo sufre?», él contestó: «Porque el justo fue impío en el pasado y es castigado ahora.» «Pero —tornaron a interrogarle—, ¿se le castiga por las faltas que cometió en su juventud?» Él replicó entonces: «No hablo de la misma vida; hablo de lo que hizo en el pasado.» «¿Cuánto tiempo aún —se quejaron sus discípulos— pronunciarás palabras oscuras?» Y es también doctrina compartida por muchos sabios que a un máximo de culpa corresponde una estancia migratoria más abyecta: en fieras feroces, en plantas con espinas, en piedras con moho e hielo para los peores.

¡Havivim yissurim! Si Débora, por amor de un hombre, osó forzar la mano del Señor (bendito sea), su culpa sólo puede ser comparada con la de Joachim, rey atroz de Judea, quien hizo tatuar sobre su pene el tetragrama sagrado antes de cometer incesto con su madre, y, en consecuencia, su sufrimiento —ese sufrimiento precioso en sí por sus virtudes purificadoras— debía alcanzar cotas de vértigo: aquellas, precisamente, en donde se agita y lamenta el patético *dibbuk*, extranjero en el cuerpo donde mora, rechazado por los vivos, abominable para los muertos.

Pero no creáis que el *gilgul* es únicamente sinónimo de castigo y regeneración. Según señalara un rabí eminente, Azriel de Gerona, los justos retornan en ocasiones, en nuevos cuerpos, al orbe de los vivos, no para ser castigados, sino —misterio supremo— para asegurar la salvación del mundo. Él veía en la migración de las almas de los mejores —y con él, otros muchos, no menos respetados y admirados— un conjunto de disposiciones indescifrables propias para establecer el equilibrio entre la Misericordia y el Rigor del Altísimo, y encontraba el fundamento y la raíz maravillosa de este arcano en la *sefira* Hokma, en el paso de las fuerzas congregadas en el seno de la Sofía divina hacia los *sefirot* ulteriores.

«Pero», me diréis, «con ser grandes y turbadores estos secretos que nos desvelas, tampoco son pequeños —aunque a nuestra escala— otros que esmaltan la historia hasta aquí narrada de Baruch y Débora, sin cuya clarificación esa historia no sería aprehendida en toda su ejemplaridad por nuestra ignorancia.» ¿Será preciso que os diga que toda la razón os asiste si así pensáis —como creo, a juzgar por la inquietud, la impaciencia y la expectación que se pintan en vuestros semblantes, y que únicamente el respeto os impide formular verbalmente—? Pues bien, refrenad vuestra curiosidad, ya que pienso satisfacerla. Y no sólo porque, de no hacerlo, seríais incapaces de prestar la atención necesaria al resto de mi relato. Lo hago, también —y muy especialmente—, porque lo considero necesario tanto para la comprensión cabal de éste, como para la intelección de ciertos aspectos de vuestras vidas que quizá produzcan desazón en vuestro ánimo.

Os pasmó —¡qué duda cabe!— el abrazo de los dos hombres, el beso viril intercambiado por Baruch y Débora —ésta, en su encarnadura masculina—, y las caricias que pusieron en contacto febril manos de varón y órganos y miembros del mismo sexo. Qué turbación, y qué bochorno, ¿no es cierto? Y, ¡qué horror! Horror que enlaza con el producido por el recuerdo del fuego sombrío que consumió las ciudades malditas de la llanura, de las retumbantes olas —cálidas como el esperma— que se abatieron sobre el mundo cuando los actos homosexuales y masturbatorios del hombre fueron estimados excesivos por el Altísimo, de los trescientos codos de longitud que —por castigo divino— alcanzó el falo de Nabucodonosor cuando quiso abusar sodomíticamente del cautivo rey Sedecías... ¡Ah!, olvidad esas imágenes, y no creáis con culpable y tranquilizadora premura en la malignidad sin paliativos, independiente de cualquier circunstancia, de unas acciones que condenáis tanto más cuanto que más os turban. Pensad que Sodoma y Gomorra se hubieran librado de la combustión nocturna de haber albergado entre sus muros un solo justo; tomad en consideración que el Diluvio se abatió sobre los hombres no tanto por la naturaleza de sus pecados como por el número desmesurado de los mismos; tened en cuenta que la culpa del rey de Babilonia se agigantaba por el hecho de que el objeto de sus deseos era el representante mayor del pueblo santo.

¡Si yo pudiera forzaros a diferenciar lo que a los ojos de la mayoría de los hombres aparece como una fusión de elementos indistintos! ¡Si yo lograra hacer surgir ante vosotros, como figuras exentas, la belleza, el amor, el sexo! ¡Si yo alcanzara a haceros ver la multiplicidad de relaciones que pueden anudarse entre ellos! Para alcanzar estos objetivos, recurriré al camino que, por bochornoso, me resulta menos grato de recorrer, pero que tiene la virtud de ser el más corto y el más recto: un camino de imágenes; de imágenes extraídas de la porción más secreta de mi vida.

Tendría yo catorce o quince años. Sería en vísperas de mi marcha a Salamanca. No lo recuerdo con exactitud Pero sí, que fue en Granada. Ocurrió de mañana, al despertarme. ¡Ay, cómo me trae la memoria, ahora, la fragancia aquella del cestillo de frutas olvidado sobre el alféizar de la ventana, y ese claro sonido de las aguas del río que me hizo arrebujarme, friolento, con las sábanas tibias! La noche precedente había sido muy calurosa: ni la más leve brisa alteraba el orden sin mácula del jardín cuando, ya de madrugada, el cansancio y el sueño me hicieron abandonarlo y buscar refugio en mi cama. Que ardía. Por ello, y contra mis costumbres, me acosté desnudo. Completamente desnudo. Y desnudo estaba cuando me desperté, aunque cubierto por las sábanas. ¿Qué hora era? Una hora avanzada, sin duda, pues la luz entraba a raudales por la ventana. Murmuré, soñoliento aún: «Te doy gracias, Rey vivo y eterno, por haberme devuelto, con tu amor, mi alma»; venciendo mi pereza, salté del lecho y añadí: «Grande es tu fidelidad»; y, con los brazos sobre el torso —para protegerme contra el frío—, di unos pasos hasta el rincón donde se encontraba la palangana de mis abluciones, y por tres veces vertí el agua helada de la aljofaina sobre mis dos manos, empezando por la derecha; luego, una vez que me hube secado, comencé a musitar la *cha'harit*, la plegaria de la mañana. No había dicho aún, sin embargo, las dieciocho bendiciones de la *chemoné essre*, cuando un estrépito, cuya causa escapaba a toda conjetura, me conmocionó, me hizo olvidar mis obligaciones para con el Señor, me empujó a salir de la habitación para indagar lo que había ocurrido. Sin darme reposo ni prestar atención a los lugares que recorría, atravesé tres vastas salas, y, sólo entonces, al penetrar en la cuarta, advertí que el ruido había cesado, y con él, los gritos a que éste diera lugar, y, deteniéndome para cobrar aliento, caí en la cuenta de que el alboroto debía haber sido producido por la previsible caída de los troncos que apuntalaban uno de los lienzos de la tapia del jardín, situado en un lugar que, por lo inaccesible, nadie visitaba, lo que tuvo la virtud de tranquilizarme. Apenas me sentí recuperado, mi mirada se aventuró, perezosa, por la penumbra suave que dominaba la estancia, cuyos escasos muebles tenían un aire afantasmado bajo las piezas de tela que los resguardaban del polvo, pero nada en aquel lugar, ni siquiera el confuso bulto de mi cuerpo reflejado en el gran espejo que colgaba del tabique al que yo daba cara, consiguió retenerla. Ya iba, por ello, a dar media vuelta para regresar a mi alcoba, cuando dos restallantes portazos y una avalancha de luz me hicieron respingar, sobresaltado: empujadas por un golpe de viento, las dos hojas de la ventana de la estancia se habían abierto de par en par, dando paso a los rayos del ya alto sol de la mañana. ¡Quedé sobrecogido! Y retuve a duras penas un grito. ¿De quién era aquel cuerpo investido de la más deslumbradora belleza, que se alzaba ante mí? Dejé que estos ojos míos se abismaran en su contemplación. Que, resbalando por la impenetrable superficie del espejo, siguieran, acezantes, el despliegue musical de sus líneas. Que evaluaran el milagroso equilibrio de sus volúmenes. Que se pasmaran ante la armonía sin parejo de sus proporciones, y que me sumieran de lleno en aquella ebriedad que me iba dominando y a la que hoy no sabría dar nombre. ¡Ángeles del Altísimo: aquel cuerpo era el mío; o mejor, su reflejo en el espejo! ¿Mío? Una sonrisa escéptica. ¿Mío aquel cuello largo, redondo y fuerte, que, arrancando de las airosas clavículas, soportaba con gracilidad el peso de la hermosa cabeza de rostro ingenuo, asombrado y sombrío? ¿Mío aquel torso cuyo dominio se disputaban el músculo y la tierna carne adolescente? ¿Mío aquel vientre abombado apenas, y aquel pubis de rizos oscuros, bajo el que estallaba el esplendor frutal del sexo en calma? ¿Mía aquella cadera resbaladiza sobre la que se abandonaba una mano perfecta? ¿Cómo podían ser míos aquellos muslos poderosos, aquellas pantorrillas de curva impecable, aquellos pies que hubieran envidiado los seres celestes? Unas lágrimas inexplicables me estorbaron la visión.

Esas lágrimas eran de cristal sin falla. No vehiculaban turbiedad alguna. Tenían su origen en el sentimiento de la grandeza del Señor (bendito sea) que puede operar sin esfuerzo tamañas maravillas. Y ninguna oscura pulsión sexual estorbaba aquel despliegue magnífico del alma abocada a su Creador. No, el vértigo erótico ante el propio cuerpo sólo me dominó años más tarde, después de que, una tarde en que había ido con mis compañeros de Salamanca a bañarme en el río, presenciara la erección monstruosa de uno de mis acompañantes, cuyo miembro, a causa de la desnudez de los presentes, creció hasta que el prepucio se le abrió como una fruta madura, dejando escapar el bálano sanguinolento, sacudido por espasmos. A partir de aquel momento, y durante mucho tiempo, no pude volver a contemplar mi cuerpo sin entregarme de seguido a los placeres equívocos y acongojantes de la masturbación.

No deduzcáis de mis palabras, sin embargo, que el sexo se me mostrara por primera vez en figura de varón. No fue así. Meses antes, yo había tenido ya la revelación del cuerpo de la mujer. Y con efectos desazonadores. Ocurrió de la siguiente forma. Una noche de mediados de noviembre, estando en vías de dormirme, advertí, alertado por unos desusados rumores que me llegaban de la habitación vecina, que en la puerta condenada que en otros tiempos comunicara aquélla con la mía, existía un pequeño orificio, fruto de la industria —pensé— de algún curioso, por el que penetraba la luz con que la persona que ocupaba dicha habitación distraería los ocios de su probable insomnio. El temor al frío que me haría temblar no bien abandonara la protección de las sábanas y de los cobertores con que me arropaba, fortificó durante largo rato mi natural discreción, pero, desvelado por el conflicto entre mi pereza friolenta y una curiosidad creciente que la imaginación alimentaba, acabé por levantarme y, con cuidado de no hacer ruido, me aproximé al agujero y miré a su través. Al principio, no distinguí —a causa de que la vela que daba luz a la estancia se encontraba demasiado cerca del punto desde donde yo atisbaba— más que ropa de cama en desorden sobre un catre rechinante, ni oí sino, con mayor claridad, el enervante murmullo que me espabilara un rato antes. Luego, quedé perplejo: ¿sería posible que entre aquellas mantas se encontrara una mujer, y que estuviera desnuda, y que si yo tenía paciencia quizá alcanzara a verla? Me retiré de mi puesto de observación, porque sentí que me ahogaba; pero volví en seguida a él, con los ollares resoplantes. ¡No cabía duda: aquel pie que estaba y ya no, cuyos dedos prensiles, al mimar el movimiento de un abanico al cerrarse, provocara un crecimiento desmedido, un aceramiento de mi pene, era un pie de mujer! ¡Y aquel muslo enorme, cuya presión sobre mis ijares me hubiera vaciado de todo el semen que mi deseo, enloquecido, hubiera logrado allegar, era —la vista se me nublaba— un muslo de mujer! El miedo a que, sin advertirlo, se me escapara un quejido —¿se me habría escapado ya?—, me hizo retroceder unos pasos de la puerta, y buscar en la oscuridad de mi dormitorio un lenitivo para la vergüenza que el solo hecho de pensar en esta posibilidad me produjo. Y allí permanecí unos instantes, tembloroso por el frío y el deseo, preguntándome qué podía hacer aquella mujer con tan desordenados movimientos, y cuál sería la causa de que se revolcara sobre su lecho entre tan entrecortadas objuraciones. Volví, pues, a mi puesto de observación, con el pretexto hipócrita de averiguarlo; un pretexto que olvidé apenas mi ojo derecho quedó enmarcado por el orificio, pues lo que este ojo vio me ahuyentó de la conciencia todo sentimiento de culpa: la mujer, arrodillada en el suelo, obscena y totalmente desnuda, buscaba bajo el catre no sé qué. Sus nalgas desbordantes —tenía las piernas separadas— se abrían ante mí. Y entre ellas, se distinguía el fruncido ano broncíneo y un matojo de negro vello puberal. Y las rugosas y amarillentas plantas de sus pies, con los pulpejos agrupados, se abandonaban a mi mirada. ¡Y un pecho descomunal, bajo el brazo de axila velluda con el que, extendido, tanteaba el suelo, yacía sobre éste, el largo y grueso pezón trémulo sobre la fibrosa aureola! Me masturbé. Sí, me masturbé. Ciega, y culpable, y repetidamente.

De modo lamentable y fatal, yo no iba a perder el hábito pernicioso y árido de la masturbación —contraído aquella noche— hasta mucho tiempo después; hasta —para ser preciso— los tumultuosos meses de crápula que siguieron a mi azarosa instalación en Roma. Y no ya porque los placeres de la cópula hicieran palidecer los del vicio solitario —tan diversos de los otros, tan susceptibles de adquirir una dimensión suplementaria y admirable gracias a la conjunción en ellos de los poderes de lo carnal y de lo imaginario—, sino porque la multiplicación de los actos venéreos me privaba de fuerzas para entregarme a la monomaníaca costumbre que abriera horizontes de locura a tantas de mis noches adolescentes. De aquellas jornadas romanas de culpable éxtasis en las que, con el alma olvidada de sí, con el cuerpo estragado, con los testículos vacíos, me empeñaba en hacer surgir de la fuente casi agotada de la vida unas gotas que engañaran la sed de la bestia lúbrica que me habitaba, no os hablaré ahora, pues ya dije de ellas lo suficiente. Si las menciono, es sólo para permitiros entrever cuáles fueron las circunstancias que rodearon la experiencia, para mí decisiva, que paso a describiros. Todo ocurrió durante el transcurso de una siesta que, desenlace obligado de los excesos en la comida, en la bebida y en el sexo a que nos entregáramos precedentemente, entrelazó, sobre el suelo recubierto con mantas de una sórdida habitación tabernaria, los cuerpos de las tres parejas que, por puro azar, formáramos horas antes yo, dos amigos y tres jóvenes prostitutas encontradas a la puerta del establecimiento donde se desarrollara la orgía. Debíamos llevar un largo rato yaciendo entre gemidos, regüeldos y ronquidos, cuando uno de éstos, más fuerte que los precedentes, me despertó. Entreabrí los ojos, pero el sopor me los hizo cerrar en seguida; sintiéndome anquilosado, quise cambiar de posición, pero la deliciosa tibieza de los cuerpos desnudos que se apretujaban contra el mío me hizo abandonar tal propósito. Permanecí, pues, inmóvil, incapaz de precisar a quién pertenecerían las nalgas que yo rozaba con mis pies descalzos, a quién la pierna cuya rodilla se me clavaba en los riñones, y de qué boca procedería el aliento que daba calor a una de mis mejillas. Una vaga y creciente excitación iba dominándome. De pronto, alguien se dio vuelta, y yo sentí que un brazo se deslizaba por encima de mi estómago hasta detenerse sobre mi vientre, y que una mano dormida se me posaba junto al pene. Éste, muy lentamente, fue creciendo y endureciéndose, y, al alcanzar un cierto grado de curvatura, cayó bruscamente hacia atrás, golpeando la mano que reposaba en la vecindad de mi pubis. Con los movimientos convulsivos de quien se ahoga, el músculo de mi virilidad se alzó y, a causa de su peso, descendió, y volvió a subir, y a bajar, hasta que la mano sobre la que repiqueteaba lo aprisionó, y tiró hacia abajo del prepucio, desnudando el bálano, que acarició con las sensibles yemas de sus dedos. «Pero, ¿qué hacéis?», exclamó con voz chillona una de las muchachas. La vergüenza coartó la salida eruptiva de mi semen, y amenguó el grosor y la longitud de mi miembro, en grotesca retirada. Y mi turbación se fortificó con la de aquel de mis amigos a quien pertenecía la mano que, maquinalmente, me transportara hasta las puertas del placer.

La esperanza de alcanzar un goce de ese u otro tipo semejante no influyó para nada —podéis, debéis estar seguros de ello bajo la fe de mi palabra— en el surgimiento y desarrollo de la pasión que me arrojara a los brazos de la que habría de ser mi mujer. En ella, en aquella muchacha que, a partir de un cierto momento, comenzó a rehuir mis miradas y a hacerme objeto de las suyas más furtivas, yo sólo buscaba un objeto de contemplación: habiendo vislumbrado el sol interior cuya luz discreta transfiguraba los rasgos, los gestos y los movimientos de la que para mí sería siempre única e irremplazable, comprendí que debería agotar mis días de varón admirando y dando gracias porque un alma femenina hubiera accedido —en un impulso del que no era dueña— a admitirme en el secreto de su plenitud inagotable. Y aunque ella quizá no lo advirtiera, siempre fui fiel —hasta su muerte— a esa misión que, en un rapto irrepetible, yo me había asignado: ni las más ardientes noches de lujuria compartida pudieron hacerme olvidar que bajo aquel cuerpo deseado alumbraba una llama, a ninguna otra semejante, prendida por las manos mismas del Altísimo.

Os lo ruego, ahora: considerad con atención, con mente casta, las experiencias de mi vida pasada que acabo de relataros. No os dejéis extraviar por lo que en la exposición de ellas, a pesar de mi voluntad de restringirme a lo esencial, pueda haber de accesorio; y no os engarabitéis con rijosa complacencia ante los aspectos más bochornosos de lo que os he contado. Esforzaos, por el contrario, para extraer de todo lo dicho las conclusiones justas; así, a más de disponer en adelante de reglas con las que regir eficazmente vuestra actividad amorosa, podréis discernir los componentes del impulso que permitió a Baruch vulnerar sin turbación los derechos de la decencia, y estaréis en disposición de atisbar el sentido recóndito de su dolorosa y —para los más— enigmática aventura.

Procediendo con orden, tomad ante todo en cuenta la primera historia. ¿Verdad que se os impone la evidencia de que lo bello es el punto de partida de un camino que de la contemplación lleva a la alabanza? Pero no os contentéis con asentir a lo que os parece obvio: para fortificar vuestra convicción, o para desecharla en el caso que se revelara injustificada, buscad pruebas en contrario, hurgad en vuestra memoria en procuración de argumentos que la pongan en entredicho. ¿Deseasteis a una mujer que fuera suma de perfecciones físicas? ¿La amasteis por causa —creíais— de su esplendor carnal? ¡Ah!, si miráis con fijeza en el fondo de vosotros mismos, no me cabe duda de que descubriréis que su belleza estorbó durante algún tiempo el surgimiento de vuestro deseo, y que éste nació por otra causa —una frase, una mirada, un gesto en relación con el sexo—, aunque luego se fortificara por el contraste percibido entre el celeste equilibrio formal y el voraz dinamismo sombrío que, al unísono con el que os galvanizaba, presentíais bajo el despliegue sublime de su orden perfecto. ¿Y acaso es posible ignorar que no fue su belleza lo que os hizo amar a una mujer, sino la errónea suposición de que existe un vínculo necesario entre la armonía exterior y la interior —adecuación no ya fatal, sino ni siquiera frecuente—? ¿No habéis advertido, por otra parte, que, de hacer caso omiso de los prejuicios y temores que nos atenazan y abstracción de lo que no sea ella, la belleza de los seres del propio sexo provoca en nosotros una respuesta indistinguible de la motivada por la de los del sexo opuesto? ¡Dolorosa belleza! Su contemplación, siempre insatisfactoria, aviva en nosotros la nostalgia de la pura mirada, tan ajena a nuestra bastarda condición, en que se resuelve la esencia de aquellos que integran los órdenes angélicos.

La belleza, que puede retardar o impedir el nacimiento del deseo, sirve en ocasiones para hacer factible su desarrollo, la búsqueda de su satisfacción. Pues —tenedlo siempre presente— la carne asusta; la llamada del cuerpo ajeno y la respuesta exasperada del propio poseen tal virtual desmesura, que el alma inexperta cae con frecuencia en un anonadamiento de horror al escuchar por vez primera tan inhumano diálogo. De aquí, que el hombre se inicie casi siempre por intermedio de la mirada, sin contacto con el ser deseado, y que su iniciación resulte más fácil y completa si su mirada es reconfortada por el apoyo de lo bello; de aquí, también, que la mujer, en quien la imaginación no se interpone tranquilizadoramente —como ocurre en el hombre— entre ella y su cuerpo, sienta el miedo en la carne y se resista, a veces con ferocidad, a ser iniciada. Sí, la carne busca a la carne —ciegamente— y no a otra cosa. Los pezones buscan a los pezones, la boca a la boca, el sexo al sexo. No importa cuál, no importa de quién. Todo nuestro cuerpo —y en primer lugar, esas zonas— anhelan ser excitadas, despertadas de su sopor. Y se despiertan no bien se las manipula. ¿Cómo extrañarse, en consecuencia, de que un cuerpo de hombre pueda responder al de otro hombre, un cuerpo de mujer al de otra mujer? Sin duda, sólo consideraciones y reflejos de un orden no carnal alcanzan a impedir esas respuestas.

El amor, en fin, se constituye en clave de todo este universo erótico. Imposibilitado por nuestra mezclada naturaleza para alcanzar la plenitud de su esencia, en la que los tiempos se anulan —¿cómo perseverar en la contemplación absoluta de la belleza interior, contemplación alcanzada y sólo posible en el filo de nuestra plenitud y de nuestra nada, donde a veces, muy raramente, esplende la eternidad?—, condesciende a humanizar un conglomerado de fuerzas y tensiones que, de no ser controladas, pondrían en peligro nuestra condición. ¿Acaso cabe pasar por alto su inevitable, aunque con frecuencia fugaz, presencia? Tened la seguridad de que siempre la encontraréis allí donde los cuerpos, mezclados, arden. Antes o después de la cópula. Pues no cabe fornicar, ni aun con la más atroz prostituta, sin que los espasmos de la carne se resuelvan en una dulcísima —quizá casi inexistente, y como avergonzada de sí, pero inequívoca— ternura sexual.

Y ahora, poned en relación lo que antecede, mis palabras últimas, con el desenfreno de los sentidos a que dio lugar la recuperación por Baruch de Débora bajo la especie del *dibbuk*. ¿No se ilumina así, súbitamente, la escena, tornándose comprensible? El cuerpo del muchacho fue extraído de su letargo habitual en una oscuridad que impedía distinguir quién hurgaba entre sus ropas, buscando la carne progresivamente ardorosa. Y como quiera que el furtivo desplazamiento de aquella mano había sido precedido por el sonido de la voz de Débora, que desencadenara de golpe todas las fuerzas y potencialidades de un amor que se esforzaba para subsistir bajo los pálidos ropajes de la nostalgia, no podía caber ninguna duda en el ánimo del joven de que voz y mano se correspondían, de que por intermedio de una y otra aquella a quien amara y deseara lo buscaba. Presa ya de los vértigos de la carne y del espíritu, ¿creéis que iba a retroceder porque fuera de varón la envoltura carnal de la muchacha? ¿Acaso había retrocedido antes, al oír una voz que sólo podía surgir de la podredumbre de la tumba? Yo pienso, además, que la belleza corporal del jardinero, al serle revelada por el pabilo humeante de las velas que el desmayo de su madre hiciera rodar por el suelo, alejó de él la última reserva que hubiera podido mantenerlo al margen de la prodigiosa aventura: la perfección física de aquel cuerpo ahuyentaba del deseo que suscitaba toda sombra de bestialidad y se adecuaba a la perfección de la belleza sin mancha del alma de la muchacha.

Ya podía, en consecuencia, iniciarse la peregrinación de los dos amantes. Una peregrinación con la que huir de lo que atendía a separarlos, con la que buscar una comarca donde su amor fuera posible. La iniciaron furtivamente, sobre caballos robados al padre de Baruch. La iniciaron tras cortarse los rizos que hubieran revelado su condición de judío, en ropas de gentiles. Ni Baruch ni Jacob, su compañero, llevaban con ellos sus *talith*, sus *tefilim*, habiendo renunciado, así, a los auxilios mágicos y religiosos de la plegaria.

«¿Ve esa sima?», preguntó el guía. «¿La ve su compañero?»

Baruch volvió la cabeza y miró a Jacob, que, retrasado unos metros, lo contemplaba a él —como siempre— con gravedad inexpresiva, rígido sobre la alta montura árabe de su caballo inquieto.

«Sí. La ve. La vemos.»

«¿Él no habla?»

«No puede hacerlo.»

«Pero, ¿oye?»

Asintió el muchacho. «¿Por qué?»

En respuesta a la pregunta, el guía, de un brinco que hizo recular a su mula, se echó al suelo.

«Mire lo que voy a hacer.»

Y cogiendo un peñasco, lo arrojó a lo hondo del despeñadero.

Un sordo rumor, pronto estruendoso, que llenó la montaña de temerosos ecos, se levantó de las profundidades.

«¿Se da cuenta?», inquirió el guía. «A veces, al oír ruido, sale.»

Pero ya Baruch, tirando de las riendas de su caballo, corría hacia Jacob, quien, fundido con su cabalgadura, que brincaba y manoteaba entre relinchos despavoridos, se aproximaba al abismo.

«¡Alto!, ¡reténlo!»

Lloró. Lloró largamente. Con las dos manos sobre el pomo de la silla y el cuerpo atravesado por temblores. Y, entre lágrimas, sonrió a Jacob, que, a sólo dos pasos del vacío, había —«¡Milagroso!», gritaba el guía, aún no recuperado de su sobresalto— dominado a la bestia, cuya caída habría acarreado la suya, con —«No es posible», repetía el guía, que ya les diera alcance— la simple presión de sus piernas y un seco tirón del bocado.

Dos aves negras, empequeñecidas por la distancia, planeaban sobre ellos.

«Esta sima se llama sima del caballo y del caballero. Asómense. Desde aquí se puede ver su fondo sin ningún riesgo.»

Los dos muchachos, que habían echado pie a tierra, se aproximaron al parapeto natural desde donde les hablaba su acompañante, y, sin decir palabra, dejaron resbalar sus miradas emparejadas por las abruptas paredes del despeñadero.

«Es una sima muy honda, muy peligrosa. Más aún de lo que parece. Y se dice que allí abajo, escondido entre las jaras, acecha un demonio de cuerpo escamoso, que canta al atardecer para embrujar a los viajeros. Los que lo han escuchado, afirman que lo hace al modo de las mujeres, con voz doliente. Y aun hay quien sostiene que a veces se deja ver bajo figura de doncella. Yo, cuando oigo esto, me pregunto: ¿no sería así como provocó la caída del noble señor cuya osamenta, mezclada con la de su caballo, ven quienes se aventuran por este sendero las noches en que luce muy alta la luna?»

Se santiguó el hombre.

«Debemos apresurarnos», dijo luego. «Sería tentar a la suerte no haber dejado la montaña atrás cuando el día se fuera.»

Y ya se iba. ¿De qué forma interpretar, si no, el esplendor y la púrpura de que se iba revistiendo el horizonte por el lado de poniente, y el súbito, atronador concierto de remotas aves, que se levantara como un grito de advertencia apenas los tres viajeros, de nuevo a lomos de sus cabalgaduras, decidieron proseguir su descenso?

En el silencio sin fisuras que siguió, el cauteloso tantear de los cascos de las bestias, que buscaban puntos de apoyo seguros entre los guijarros del sendero, acrecía el sentimiento de soledad que despierta siempre la travesía de una montaña.

«Se cuentan cosas terribles», dijo de pronto el guía, «de estos parajes. Pero yo no creo en ellas. Son cuentos de viejas, sí; y como de tales, malvados. Sin embargo, yo, a pesar de que no les doy crédito, me desprendería ahora hasta de lo que más valoro con tal de no recordarlos. El Enemigo Malo, aquí», tornó a santiguarse, «se reviste a veces del hirsuto pelaje del lobo, rezongan algunos, a fin de llevar la desesperación al ánimo de los cristianos. ¡Que Jesucristo mismo me proteja del miedo que me pudiera mover a negarlo!»

Sofrenó su mula.

«¿Oyen?», preguntó, volviendo hacia Baruch un rostro ceniciento.

Éste y Jacob se inmovilizaron.

«¿Serán aguas subterráneas?»

Y, como el ruido creciera hasta volverse estrepitoso, el guía, con grave riesgo de su vida, espoleó a su cabalgadura, pronto imitado por los dos muchachos.

El sol se había puesto ya por completo cuando los viajeros llegaron a la falda de la montaña. ¡Qué alegría en el trote de los caballos, de la mula, libres por fin del miedo a los tropezones, a los deslizamientos, a la pérdida del equilibrio, y dominados por el placer eurítmico de entregarse a la fuerza de la inercia tras distanciados impulsos que distendían sus músculos, agarrotados por el precedente, fatigoso descenso! Sobre las lúgubres colinas, sin embargo, nada era de naturaleza idónea para serenar el ánimo de quienes por ellas cabalgaban: el cielo, muy bajo y gris, parecía un simulacro del verdadero, cuya finalidad fuera dificultar la visión de las potencias celestes que en el otro habitaban a fin de coartar su posible intervención en auxilio de los humanos; el viento, cargado de polvo, cambiaba de dirección con tan inusitada frecuencia, que resultaba imposible localizar el origen y la naturaleza de los sonidos que vehiculaba, más misteriosos y desazonantes por ello; la tierra, dura y despojada de vegetación, se cubría de sombras que falseaban las perspectivas, camuflaban peligrosamente las imprevisibles vaguadas e impedían distinguir las rocas que, diseminadas aquí y allá, eran como tentáculos lanzados por la montaña en pos de la presa ahora hurtada a sus acechanzas.

Galopaban en línea de a tres, con Baruch en el centro.

«Sobre estas colinas, ninguna leyenda; sólo historias verdaderas: todas terribles. Tierra de nadie durante siglos, aquí se encarnizaron entre sí con lanzas y mandobles, durante cada uno de ellos, los soldados de Cristo y los enemigos de la verdadera fe. ¡Hay tanta sangre podrida bajo nosotros, donde no alcanzan las miradas! Por ello, raros son quienes la recorren; por ello, y porque desalmados y apóstatas de horca y cuchillo la eligieron hace muchos años como feudo y escenario de sus deplorables hazañas.»

Brillaron los ojos de Jacob.

«¡Un árbol!», exclamó Baruch, interrumpiendo a su interlocutor.

Sí, ante ellos. De copa inmensa, que —sus raíces se hundían en una depresión del terreno, entre dos colinas— nada agitaba.

«Este árbol», dijo el guía no bien, descabalgando, se acogieron a su protección, «se adorna en ocasiones con frutos abominables. De sus ramas cuelgan por el cuello, la Justicia y el Crimen, a aquellos que, por premura o prudencia, deben recibir furtiva muerte. Ahora», su mirada se perdió, temerosa, entre las tupidas hojas, «se encuentra vacío. ¡Dios sea loado por ello!»

Bajó la voz, inquieto, al dirigirse, en un aparte, a Baruch: «¿Por qué sonríe su compañero?»

El muchacho se incorporó sobre un codo.

«No sé», murmuró. «Estaba cansado y ahora descansa. Puede que sea por eso.»

«Yo pienso», el hombre tragó saliva, «que hay algo más.»

«¿Algo más?»

«Sí. ¿No huele?»

El viento, habiendo encontrado un medio de acceder a las zonas bajas comprendidas entre las colinas, hizo crujir las ramas del árbol a cuyo cobijo estaban, y un hedor impío los envolvió.

«¡Cristo bendito!», exclamó el guía.

Y él y Baruch se incorporaron de un salto.

«¡La muerte nos ronda!», gritó el hombre, aferrándose con las dos manos a uno de los brazos del muchacho.

Como enloquecidas, las hojas del árbol comenzaron a tintinear.

«¡Mire!»

Entre ellas, rígido y corrupto, se bamboleaba el cadáver de un hombre maniatado, cuyo cuello quebraba una soga que, tensa, se perdía en la oscuridad.

¿Qué los hizo detenerse, e interrumpir así una galopada demente que duraba ya varias horas y que hubiera sido mucho más vertiginosa de no refrenarla, solapada pero eficazmente, la morosa desgana con que el caballo de Jacob seguía al caballo y a la mula de sus dos acompañantes? Quizás, el hecho de que las pobres bestias, con los belfos espumantes y la mirada en extravío, se encontraban al extremo de sus fuerzas —sobre todo, la mula, menos veloz y forzada por ello, para no retrasarse, a mantener una andadura que la desbordaba—; tal vez, el propio cansancio de los jinetes, que, neutralizado hasta entonces por el miedo y la voluntad de huida, se iría tornando indomable a medida que el aminoramiento de la celeridad de las cabalgaduras fuera rompiendo la tensión anímica que los hacía crisparse de piernas sobre las sillas; posiblemente, la sorpresa de advertir que se adentraban como una exhalación por una zona de características insólitas —imprevisibles a partir de las que aseguraban la peculiaridad de las recorridas anteriormente— que el guía —era inequívoco al respecto el estupor que acartonaba sus rasgos— no conocía ni tenía noticia de que existiera: una llanura circular cuyos límites —apenas una línea temblorosa entre la tierra y el cielo— parecía retroceder a medida que los tres jinetes se internaban en ella; muy probablemente, la sensación, compartida y desazonadora —de la que cobraron conciencia, según revelera un relampagueante intercambio de miradas acosadas, cuando hacía ya rato que dominaba sus espíritus— de que no habían llegado a aquellos parajes por puro azar, ni guiados por el instinto de sus cabalgaduras, sino atraídos de modo inexorable por algo o alguien —que no habían localizado aún, pero que presentían en las proximidades— a la espera entre tinieblas; con toda seguridad, la nieve que, mansamente, comenzó a desprenderse del cielo —rojo como una granada—, fundiéndose sobre sus caras y sus manos desnudas, pero depositándose y aglomerándose sobre las ropas y sobre el suelo.

Los tres viajeros bajaron de sus monturas y buscaron en su impedimenta capas con que protegerse de las inclemencias del tiempo, y un poco de licor que, al poner un toque de fuego en la sangre, acelerara la circulación de ésta por las venas.

«Noche atroz», se quejó el guía. Y al advertir que el sonido de su voz le infundía seguridad —chispearon sus ojillos, quizá por efecto del alcohol, bajo las foscas cejas—, siguió hablando: «Nunca más, en cuanto de mí dependa, me sorprenderá una noche así en un lugar tan desierto.» Miró a su alrededor. «La nieve cae con fuerza, ahora; ¿no les extraña siempre que por mucha que caiga nunca haga ruido?» Rió ruidosamente, para darse ánimos, pero recuperó de inmediato el hilo de su perorata: «Los copos —son como puños— parecen tan asustados como yo. ¿Ven de qué forma giran, de qué forma se arremolinan, de qué forma parecen buscar en nosotros un cobijo que los proteja de la destrucción?»

Un aullido —de lobo, indudablemente— se dejó oír en la lejanía.

«¿Qué será eso?», preguntó Baruch.

Estaban apiñados, hombres y cabalgaduras, en el centro del páramo, invisible tras la cortina que formaban los helados copos revoloteantes.

«¿Eso? Un lobo. Un viejo macho con experiencia que avisa a los miembros de su manada de la inminencia de un festín. Nosotros», añadió, intentando sonreír sin conseguirlo, «somos los bocados que se disputarán los participantes en ese festín.»

Se revolvieron, piafantes, las cabalgaduras. Pero aunque tiraron con fuerza, no lograron distanciarse de sus dueños, que sostenían las riendas a la altura de los bocados.

«Los caballos están inquietos. ¿Montamos?»

«Sí.» Lo hicieron. «Por lo menos, ya no podrán dejarnos abandonados.»

Al crujido de la nieve bajo los cascos, se unió el del

cuero de las monturas bajo el peso de los cuerpos, y el murmullo, prácticamente inaudible, del vientecillo que alborotaba los copos de nieve en su blanda caída.

«Si los lobos nos atacan», murmuró el guía con voz estrangulada por la ansiedad, «no tendremos salvación. Su carácter es fiero, implacable, y deben estar hambrientos. Yo no sé de nadie que haya logrado escapar de ellos en circunstancias semejantes a las nuestras. ¡Que Dios nos ayude!» Y comenzó a sollozar.

Tan bruscamente como se había iniciado, cesó la nevada. Hubo una avalancha de copos, que cegó a los jinetes, y cuando éstos, con manos agarrotadas por el frío, hubieron aventado los que se les posaran en el rostro, cayeron en la cuenta de que ya no seguían descendiendo, de que la temperatura era más alta, de que el paisaje se había transformado hasta volverse irreconocible. ¿Sólo porque la nieve, espesa y blanca, azuleante, se extendía hasta la linde del horizonte, y seguramente más allá, ocultando bajo una capa de mortal albayalde la bronca tierra en fermentación? ¿O porque el cielo virara del rojo, del escarlata sombrío, al índigo profundo, y se cubriera de constelaciones desconocidas? No, la impresión de que habían sido mágicamente trasladados a un lugar que antes nunca vieran, se debía, sobre todo, a la presencia o a la ausencia de algo que ninguno de los tres jinetes, en su pasmo inmóvil, era capaz de descubrir o de recordar.

«¡Huellas!», gritó Baruch, reteniendo con dificultad a su caballo, que, como las otras dos cabalgaduras, alarmado por la brusca emisión de su voz o por cualquier otra causa —el aire salía con ruido de sus ollares—, había comenzado a dar muestras de una agitación extrema.

Eran huellas de perro, o de lobo. Surgían de la nada, a pocos pasos del grupo; trazaban un doble círculo alrededor de éste, y se alejaban —negras y profundas sobre la esponjosa nieve— en dirección a un bosque de cuya presencia, no muy lejana, ninguno de los viajeros se había apercibido hasta entonces.

«¡Jesucristo nos proteja! Era uno solo.»

Los tres hombres se miraron: Jacob, calmo; Baruch, inquieto; el guía, agitado por temblores que ponían de manifiesto su renovado miedo.

«¿Qué vamos a hacer?»

El guía, sobre su mula alborotada, se distanció de sus dos compañeros.

«¡Matarlo!», silabeó, blandiendo un largo cuchillo de cachas de cuerno. «¡Matarlo para que no nos mate!» Bajo su determinación, se agazapaba, inconfundible, la bestia del pánico más indigno. «Lo mataré con este cuchillo», dijo, «y me comeré luego», en el desbordamiento de su desenfreno, casi lloraba, «su rojo corazón».

Y antes de que los otros dos pudieran retenerlo, se alejó galopando. Y, galopando, llegó hasta el bosque, y se internó entre los árboles de copa espesa que lo formaban.

Baruch aflojó riendas a su caballo, y ya iba a espolearlo, cuando la mano de Jacob lo detuvo.

Habló Débora:

«La muerte con manto de púrpura y el inflexible destino han puesto ya su mano sobre ese hombre. Déjalo. No puedes ayudarlo. Pronto, oirás sus gritos. ¿No viste cómo se desorbitaban sus ojos? Desde el momento en que se entregó a la voluptuosidad de lo horrible, estaba perdido. Olvídalo, aunque te cueste. Y sígueme. Yo conozco el camino.»

Un grito del que lo humano estaba ausente, pero que era de hombre, les llegó del bosque. Muy agudo, casi de mujer, oscilaba entre la risa y el quejido.

«Lo matan, Débora; y muere solo.»

Ella, por mano de Jacob, lo atrajo hacia sí.

«No cabe ayudarlo», dijo. «Ya su sangre dibuja sobre la nieve las palabras de la canción sin música con que se despiden los que han muerto. La tierra la absorberá. Es así: todavía un poco de llanto; y luego, el silencio.»

Pero ¿cómo permanecer impávido, inmóvil, ante aquella llamada?

Pues el guía gritaba de nuevo:

«Señora de los Dolores, ¡ayuda!»

Y por último, con voz ronca, entre estertores: «¡Madre! ¡Madre mía!»

Llorando a lágrima viva, Baruch, de un tirón, se zafó de Jacob, que lo sujetaba por un brazo. Llorando a lágrima viva, Baruch, de un espolonazo, corrió hacia el bosque. Llorando a lágrima viva, Baruch, con el rostro descompuesto, iba a penetrar en la fronda oscura, cuando un alarido, tan horrible que —supo— no podía haber escapado de boca de hombre, cubrió de sudor gélido todo su cuerpo, y lo paralizó —también a su caballo— en el lindero mismo del bosque.

«¡Débora!», susurró, volviendo los ojos hacia Jacob, que galopaba a su encuentro.

Descabalgaron ambos, y, tras serenarse Baruch —lo que consiguió, abandonándose por unos instantes a un escalofrío que, de la cabeza a los pies, lo recorrió por entero— y tras obtener de Débora su consentimiento tácito —una sonrisa penosamente aflorada a los labios severos de su acompañante— para la empresa que quería abordar —acudir en socorro del guía, y no retroceder hasta haberse cerciorado de qué suerte corriera—, ataron las riendas de sus caballos a la rama más baja del primer árbol con que se toparon, adentrándose en la ahora silenciosa espesura.

¡Imposible orientarse con aquella oscuridad! Y ¡ni un ruido que sirviera para guiarlos por tan perfecto laberinto de árboles entrelazados! Cogidos de la mano, ciegos y sordos —mucho más tarde, se sobresaltaría Baruch al recordar que las pesadas botas que portaban aquella noche no hicieron crujir a su paso ninguna ramita, ni hicieron rechinar el pedregullo sobre el que varias veces resbalaran, y que sus capas no susurraron, como de costumbre, al frotarse sus pliegues entre sí—, los dos muchachos anduvieron errantes, sin poder determinar si en línea recta o en espiral —según Baruch sospechara—, hasta que, a punto ya de dejarse vencer por el cansancio y el desaliento, vislumbraron un levísimo resplandor en lontananza y entreoyeron un rumor como de madera que se quiebra.

«Ni un paso más, Baruch», musitó Débora. «Tienes que comprenderlo: ha muerto.»

«¿Estás convencida de ello? Yo no me sentiré seguro mientras no haya conseguido verlo.»

«Pero ¿no oyes?»

«Sí. ¿Qué es eso?»

La voz de la muchacha pareció velarse:

«Está bien. Haz lo que quieras. No te retengo.»

Y guiados por la luz, más intensa a medida que se aproximaban a ella —pronto pudieron caminar sin miedo a ningún tropiezo—, Baruch y Débora alcanzaron el lugar desde donde ésta irradiaba: un calvero pequeño, bajo el cielo misteriosamente abarrotado de estrellas nunca vistas, que delimitaban árboles de troncos y ramas insólitamente gruesos.

«Por última vez», dijo Débora en voz alta, a fin de hacerse oír por encima del crujir monocorde y ansioso que los enervaba. «Por última vez te lo pido: si me quieres quédate donde estás. No te asomes, no mires; date vuelta y procura olvidar ese sonido.»

«¡Déjame!», exclamó Baruch.

Que se alejó unos pasos, sacó la cabeza fuera del círculo último de los árboles, observó morosamente, trastabilló hacia atrás y cayó desvanecido.

«¿Lo viste tú, Débora?»

Se había despertado entre los brazos de Jacob, y ahora, extendido aún sobre el suelo y con la cabeza apoyada sobre el regazo de su compañero, temblaba.

«Dime. ¿Viste sus ojos? Primero, blancos, sin pupilas; luego, cuando los volvió hacia mí, malvados y negros. ¡Tan negros como sus híspidos pelos de lobo hambriento! Porque era un lobo, ¿verdad? Un lobo con sangre en las fauces, y no otra cosa. Un lobo muy grande, de pelaje erizado, y no lo que pienso.»

Dio un suspiro y bajó los párpados, al sentir sobre su cara los dedos largos y fuertes de Jacob, que lo acariciaba.

«¡El Señor me perdone!», prosiguió. «Por un momento —¡no quiero recordarlo!—, creí que era... ¿Cómo explicártelo? Que no era un animal, que sus garras —sólo le vi una, de uñas muy largas, de las que dos blancas, y las otras tres, que tenía curvas, color de hollín— no parecían las garras de una fiera, sino —¡qué horror!— manos como las tuyas y las mías, aunque horribles y sacrílegas; manos de nieve bajo la sangre que las manchaba; manos de hombre o, por lo cerúleas, de muerto.»

Se incorporó, quedándose sentado, y comenzó a llorar.

«¡Esa blancura! Aunque no lo creas: bajo el pelo acarbonado de su lomo y de sus flancos, de su descomunal cabeza, el vientre y el pecho tenían la palidez lechosa de la piel que un jubón y unas calzas protegen de los elementos.» Se sorbió unas lágrimas. «Pero, ¡qué locura! ¡No puedo haber visto eso! Porque —¿te das cuenta?— el lobo mordía y mordía y mordía. ¡Ángeles del Altísimo! Roía con saña la planta cenicienta de un pie sin cuerpo.»

Se había incorporado del todo. Su excitación rayaba en la locura.

«¡Malditos sean estos ojos que han visto eso! El cadáver de nuestro guía estaba despedazado. Las piernas y los brazos, con los huesos quebrados, se apilaban en un montón, con los dedos de los pies y de las manos —sólo de un pie, el otro había sido cercenado a la altura del tobillo, y su carne era triturada por las muelas de la fiera— abiertos. El tronco, desnudo, yacía sobre el suelo, junto a la cabeza sin labios en la boca ni lóbulos en las orejas: un hocico inmundo había hozado en los pechos, en el vientre y más abajo, eliminando la tierna carne y dejando en su lugar rojas llagas, heridas abominables.»

Echó los brazos al cuello de Jacob, y, en voz muy baja, aproximando la boca a su oreja, añadió, con un gemido:

«¡Yo vi el miembro de la bestia mientras sus dientes se encarnizaban con el pie desnudo! Estaba tenso, y en su meato brillaba una gota de semen amarillento.»

Dando gritos enloquecidos, se abrazaron. Se mordieron. Se besaron. Y uno y otro, con manos enfebrecidas, buscaron el desnudo de su oponente.

«Débora», bisbiseó Baruch. Pero su pene no encontró sino otro pene enhiesto.

Fundidos, mejilla contra mejilla, los brazos de Jacob se cerraron sobre la nuca de Baruch, cuyas manos fueron descendiendo por las espaldas de su compañero. «Sí», dijo Débora, acariciada en las nalgas. Y se dio vuelta. Baruch se estremeció. Sopesó su miembro combado. Lo aproximó a la carne que se abría entre los dedos del otro muchacho. Y cuando, sofocado, se sintió florecer, dijo en voz muy baja: «Jacob, yo me muero.»

Entre el sumo horror y la más alta voluptuosidad, ningún lazo aparente. Se diría, por el contrario, que, como el sol y la luna en los cielos, no pueden coincidir en el ánimo de los hombres; que se rechazan, y aun se niegan; pues la aparición de aquél debe relegar a ésta a la nada, o viceversa. La experiencia, sin embargo —una experiencia que, por infrecuente y poco compartida, carece de peso ante la engañadora evidencia de la deducción lógica: que no cabe que los opuestos coexistan—, prueba que todo sentimiento y sensación se unifican al ser exasperados, al alcanzar el punto extremo de su desarrollo posible. Hay, pues, que ver en el coito sodomítico de Baruch y Débora —aunque nos cueste— la floración obligada del pánico sin límites que lo precediera. Y, ¿cómo extrañarse de ello? Pues, más allá de su carácter circunstancialmente absoluto —y por ello, unificador—, la crueldad —que se sufre o de la que uno es motor, junto con el pavor que en los testigos suscita— y el placer erótico comparten rasgos no coyunturales que resultaría ingenuo pasar por alto. Mirad a los amantes: sus cuerpos se buscan, se adhieren uno a otro, se succionan, en un intento imposible de eliminar de entre ellos toda barrera, de alcanzar la fusión perfecta; y sus bocas, en la proximidad del espasmo, ya no mascullan palabras entrecortadas, no sirven de vías a los suspiros, sino que, con los labios henchidos de sangre hirviente y los colmillos aguzados, babean sobre la carne estremecida del compañero, de la compañera, y se cierran con crujido y rechinar de dientes. ¿Qué retiene a los amantes en el umbral mismo del crimen, e impide que la sangre corra y que el grito del gozo insondable se mude en la queja del estertor? Llamémosle amor, aunque éste no sea su verdadero nombre: una ternura incipiente que nace tanto del agradecimiento de la propia carne, como de la conciencia de la indefensión de la carne opuesta, perdida entre luces y canciones. ¡Ay!, si esa ternura fallara; si el deseo, por naturaleza insaciable —¿no os sucedió que, con el miembro ya fláccido, y los testículos sin esperma, continuarais pujando, enloquecidos por vuestra incapacidad para alcanzar las cimas entrevistas en una iluminación cegadora?—; si el deseo, digo, escapara al control de la razón, el canibalismo sería el horizonte último de todo abrazo.

Representaos seguidamente, por un momento, que asistís al desenlace del choque venéreo entre dos cuerpos, desenlace en el que el semen y la sangre se mezclan. El desmayo del cual sois presa, provocado por el horror, aleja a éste; no podéis, por ello, tras recuperaros, sino arder en la misma llama que calcinara la raíz de la vida del cuerpo abandonado a la concupiscencia del otro. Ese cuerpo de dolores, troceado, despierta vuestro fetichismo: el pie que os enardeciera al extremo de una pierna, es, amputado de ella, cifra total de vuestro deseo; y el cuerpo triunfante, transfigurado por un gozo indecible, alumbra en vosotros una voluntad sin freno de identificación. ¡No podéis evitarlo!: vuestra mirada es ya tan turbia, tan malvada e inquieta —y aún más, pues sentís la necesidad de afirmar la vida en el seno mismo de la muerte— como la que dirigiera Achab a las dos prostitutas pintadas sobre su carro de guerra por Jezabel para avivar sus mortecinos ardores. ¿Torceréis, pues, el gesto al descubrirla también en el rostro despavorido de Baruch, en el inexpresivo de Jacob, habitado por Débora? Pensad en esto: juzgándolos y condenándolos en vuestro corazón, hipotecaríais vuestro inmediato presente.

Suspended también, por otra parte, vuestro juicio sobre aquel cuyo nombre, sin necesidad de ser pronunciado, nos estremece: el hombre-lobo, errabundo por los páramos, huésped inquieto de los bosques y de las estepas. ¿Acaso cabe dudar sobre esto: que su misterio resiste, imbatible, el asedio de los más sabios? ¿Acaso podéis poner en entredicho que lo ignoramos todo sobre su equívoca naturaleza? Aun yo que, pasada ya la juventud —y mi testimonio es más fiable por ello—, tuve la oportunidad de ver —pero, ¿lo vi?— a uno de estos seres frenéticos, no puedo aportar luces decisivas a tan debatida cuestión. Atended, sin embargo.

El asunto comenzó una mañana: la mañana en que se descubrió el cuerpo descuartizado —lo que de él quedaba— de un niño que bordeaba ya la pubertad, sin que pudiera determinarse quién había cometido la atroz felonía. Fue en Roma, y Roma entera se conmovió, días más tarde, al encontrar unos buhoneros los restos martirizados de otro niño —un poco menor, éste— con sangre y huellas de un nefando ultraje. El pánico se extendió, y dominó aun a los que no tenían hijos, cuando, en el curso de las semanas que siguieron, otros pequeños —dos niñas, entre ellos— sufrieron igual suerte, y, como en los casos precedentes, nadie pudo aportar pista alguna que condujera al descubrimiento del hombre —pues no cabía duda: de un hombre se trataba— que manchara su alma con tan atroces crímenes. La inquietud de la población acabó por inquietar a sus regidores —quienes hasta entonces, en opinión de muchos, se habían mostrado remisos a poner los medios que hicieran imposible, o poco viable, la repetición, sin riesgos para el criminal, de aquellos actos execrables—. Y, en consecuencia, una guardia especial comenzó a recorrer la ciudad por las noches, con la sola misión de dar la voz de alerta si algo sospechoso, o simplemente desacostumbrado, venía a turbar la placidez de sus rondas. Durante algún tiempo, poco se consiguió con ello, y, como muchos otros, yo ya pensaba que tales abominaciones no se repetirían —desde que la flamante tropa se constituyera, no volvieron a producirse nuevos crímenes de este jaez—, pero que el autor de las mismas permanecería impune, cuando hete aquí que una fría madrugada, estando yo en la cama casi dormido, oí ladridos lejanos, pasos presurosos e inquietos de pies descalzos y jadeos como de hombre al que se acorrala, gritos dispersos que se iban aunando hasta formar una masa sonora de arrollador empuje y, por momentos, de casi insoportable estridencia, lo que me movió a abandonar mis cálidas cobijas y, semidesnudo a pesar de la baja temperatura, a asomarme a una ventana.

Vi luces, entonces: temblequeantes; y desmesuradas sombras sobre la calzada, sobre las fachadas de las casas; y una horda de hombres que, armados con palos, con espadas y pistolas, corrían, atropellándose, y pronto desaparecían, arrastrando tras de sí a la oscuridad. Me vestí con precipitación, salí en su pos. Yo también corrí, pero tardé en darles alcance. Al conseguirlo, comprendí —por el siniestro silencio que siguió a la algarabía ensordecedora en que culminara el griterío de la turba— que la caza había terminado. Y así era: en el centro de un círculo que la curiosidad de los que no veían por haber llegado tarde empequeñecía de continuo, a la luz inquieta de las antorchas y de las teas, tres perros descomunales desgarraban las carnes de lo que había sido un hombre, y que, montón informe de despojos ahora, aún se adornaba con la piel curtida y maloliente de un lobo negro.

Transido de horror, sin fuerzas —por haber pasado el resto de la noche despierto, con el alma en vilo—, acogí el despuntar del alba con la más grande alegría, y esa alegría se acrecentó con la llegada, apenas el sol comenzaba a dorar el alero de la ventana ante la cual yo disciplinaba mi inteligencia con el estudio de un libro admirable, de un conocido cuya ciencia, grande, y su deseo de hacerla mayor, lo hacían acreedor de mi respeto. Era un caballero francés —gascón, creo—, siempre vestido de terciopelo negro, que, arrebatado de entusiasmo en su juventud por los libros del griego Platón y de sus secuaces, y sabedor de que en Italia las doctrinas de éstos habían hallado no hacía tanto tiempo una acogida favorable, y habían sido objeto de desarrollos altamente enriquecedores, decidió dejar en manos de deudos fieles la administración de su hacienda, y se instaló en la afamada ciudad de Florencia, donde pasó años en la frecuentación de la compañía, deleitosa para él, de letrados que dominaban los escritos de los hombres ilustres de la antigüedad griega y latina, de eruditos que buscaban la llave de los saberes más esquivos y secretos. Entre esos saberes se contaban los que atañen a la santa Kabbala; de aquí que, dado que en ellos creyó descubrir el principio a partir del cual su fe religiosa y su pensamiento filosófico se trascenderían en una unidad inalcanzable por otros medios, y dado que pronto agotó el conocimiento sobre el particular atesorado por los kabbalistas cristianos de Florencia, comenzara a pensar en abandonar esta ciudad y acabara por escoger como sede de sus futuras investigaciones otra no menos ilustre, Roma, en cuya judería, según le ponderaran, vivían y estudiaban maestros de los últimos arcanos. Yo, injustificadamente aún, tenía fama de ser uno de ellos, por lo que no es de extrañar que, munido de cartas de presentación, acudiera un día a visitarme, y tampoco que, complacido yo por su fervor y satisfecho de lo esclarecido de su inteligencia, diera en frecuentar su trato, y no pasara mucho tiempo sin que le abriera incondicionalmente las puertas de mi casa y las —más secretas— de mi intimidad.

El día que siguió a la caza nocturna del asesino de niños, muy de mañana —como ya dije—, recibí la visita de este caballero, quien llegó agitado, nervioso, tanto por el horror intrínseco del relato que se le había hecho de la persecución y muerte del lamentable facineroso, como por la sorpresa que le causaba el que un fenómeno que le interesara de antiguo y del que sólo tenía conocimiento por intermedio de libros y de relatos orales de matiz legendario se hubiera materializado en su proximidad —y casi, casi, en su presencia, pues tenía pensado acudir a mi casa la noche precedente para conversar durante muchas horas, según era nuestra costumbre, sobre los temas que a ambos nos preocupaban—. Me pidió, pues, que le contara lo que yo había visto, y una vez que lo hube hecho y que su curiosidad quedó satisfecha, tomó la palabra para ilustrarme sobre ese fenómeno, la licantropía, que, según me confesó, había ennegrecido con pavores las más de las noches de su infancia —de donde su posterior interés estudioso por el mismo—, y que, según me reveló con el tono de suficiencia que reservaba para la comunicación de saberes en los que me pensaba lego, debía su nombre a Licaón, rey de Arcadia a quien, en castigo por haber gustado sacrílegamente la sangre de un niño sacrificado en honor del rey de sus falsos dioses, éste, Zeus, transformó en lobo: en un lobo que conservaba rasgos y aspectos de su anterior condición de varón. Me dijo, seguidamente, que la realidad del hombre-lobo se encuentra atestiguada en todos los países, y como prueba de ello, me recitó los nombres que se da o daba a tan reprobable criatura en algunas naciones: *licantropos*, en Grecia; *varios* y *versipelles*, en la antigua Roma; *loups-garous*, en su Francia natal; *wervolf*, entre los teutones. Y, por último, citando a sus queridos Virgilio —que fue poeta—, Plinio y Varrón, pasó a narrarme varias historias —de algunas de las cuales ya no me acuerdo—, entre las que escojo, para transmitiros, las que siguen.

Se refirió, ante todo, a una tradición muy vieja —a la que él reconocía autoridad—, según la cual, cada cierto tiempo, un miembro de la familia de Anteo era conducido ante un negro estanque, y allí, despojado de sus vestiduras, que se colgaban de las ramas de un árbol. El desdichado, arrojado de seguido a las turbias aguas, se veía forzado a atravesarlas a nado, y una vez en la otra orilla, buscaba refugio en un bosque cercano, donde, convertido en lobo, convivía con los lobos no menos de nueve años. Si durante este plazo, venciendo sus feroces instintos adquiridos, lograba abstenerse de comer carne humana, al término del mismo recuperaba su figura primera, cruzaba de nuevo el estanque —pero en sentido opuesto— y se reincorporaba gozoso al comercio de los hombres.

Me contó, también, que, según rezaba en el libro de un famoso escritor antiguo —romano, creo—, hubo una vez un hombre que, habiendo trabado conocimiento con un soldado, quiso celebrar el nacimiento de lo que él suponía una duradera amistad con libaciones repetidas que llevaron a ambos a la frontera misma de la embriaguez. Ya de noche, y encontrándose uno y otro en un descampado, el soldado, ante su sorpresa, conjuró a las estrellas, se desnudó, empezó a girar alrededor de sus ropas —orinando sobre ellas— y se fue transformando en un lobo que, con aullidos, corrió hacia un bosque cercano y se perdió en él. Asustado, el hombre se aproximó a la ropa abandonada y maculada, y su estupefacción fue grande al comprobar que los tejidos eran ahora de piedra; despavorido, desenfundó su espada, la blandió vanamente para darse ánimos, y huyó a continuación, llegando desalado a la granja de la mujer a la que quería, vecina de aquellos lugares. Ésta, después de las efusiones de rigor, le dio cuenta, con el corazón en un puño, de las fechorías recién cometidas por un lobo pavoroso, que, habiendo vulnerado sigilosamente la acostumbrada vigilancia de los pastores, atacó y dio muerte a muchas piezas de ganado, y que habría continuado su torpe tarea de no intervenir un esclavo, el cual, con su lanza, le atravesó el cuello y lo puso en fuga. Sin tiempo para relatarle, a su vez, la desacostumbrada aventura que él acababa de correr, pues le urgía comprobar la validez de una idea que acababa de asaltarlo, el hombre salió con premura en dirección a su propia casa, y, llegando a ella, preguntó por el soldado al primer criado que encontró. Sin sorpresa, pero con miedo, quedó enterado de que aquél había vuelto de a poco, con una fatiga extrema, y que en aquellos momentos procedía a curarse una herida muy ancha que sangraba en su cuello.

El caballero francés, cuya excitación se incrementara a medida que relataba las historias precedentes y otras no menos fabulosas que silencio, dio término a su perorata con la narración de aquélla que se encontraba en el origen de los miedos de su niñez, y de la que os hago gracia por coincidir en muchos de sus puntos con la del hombre y del soldado. Básteos saber que transcurría en las altas montañas de la francesa Auvergne unos cincuenta años antes de la fecha en que entonces nos encontrábamos, y que hacía referencia a un cazador, a un gentilhombre y a la esposa de éste; que, según dicha historia, ese cazador, atacado por un lobo en la floresta, logró librarse de sus acechanzas y, con su cuchillo de monte, cortarle una zarpa, la cual guardó en su zurrón; que, llegado al castillo del gentilhombre, con quien le unía amistad, el cazador relató su hazaña, y, para probarla, mostró la zarpa; que la zarpa se había convertido en una mano delicada, ornada con sortijas de precio, que el señor del castillo reconoció ser la de su mujer, y que ésta, acosada y manca, acabó confesando su delito, y otros muchos del mismo jaez, por los que fue piadosamente quemada en la plaza de Riom pocos meses más tarde.

Como el asunto me interesaba y no sabía a qué carta quedar sobre el mismo, como las palabras del caballero francés hacían abstracción de las causas de las transformaciones de los licántropos y yo estimaba que el conocimiento de esas causas era esencial para el entendimiento del fenómeno considerado, busqué consejo en un amigo de antiguo, Menahem Azaria, discípulo de mi difunto suegro, quien, médico de considerable fama, sabría dar una respuesta apropiada a cada una de mis preguntas. Quedé satisfecho: tras rogarme que le concediera un plazo de dos días para confirmar los datos en que apoyaba sus ideas al respecto —que no quiso adelantarme—, Menahem me dio cita para el miércoles siguiente, y llegado éste, me comunicó el resultado de sus antiguas y nuevas —pues mi curiosidad había avivado la suya, haciéndole reconsiderar toda la cuestión— investigaciones, las cuales abrieron ante mí perspectivas intelectuales insospechadas.

Comenzó diciéndome que, guiado por el magisterio de Avicena y de Averroes, él consideraba la licantropía una enfermedad mental —*insania lupina* fueron las palabras que empleó para caracterizarla—, añadiendo que a las víctimas de tan terrible mal se las reconocía por una serie de síntomas que me enumeró someramente: tez pálida y vista débil, lengua seca y sed grande, porte tambaleante. Curiosamente, estos síntomas coinciden con los efectos secundarios producidos por la aplicación en forma de ungüento de ciertas plantas o mezcla de ellas cuyas virtudes no guardan secretos para los cultores de la medicina: la *mandragora,* el *hyoscyamus,* la *atropa belladona...* Rió al advertir mi desconcierto. «La *mandragora* es la mandrágora», me aclaró, «el *hyoscyamus* es el beleño, y la *atropa belladona,* la belladona. O si prefieres: la hierba de Jimson; la manzana loca, de espinas o del diablo; la trompeta del ángel, también llamada de Gabriel, todas ellas hierbas frías, de características y efectos semejantes.» Me afirmó a continuación que esas plantas son tan poderosas, que quien se somete con frecuencia a ellas no puede luego librarse de su imperio, y que éste se ejerce en las más varias direcciones, bastando un palo y un ceñidor o una piel entera de lobo para abocar a quien de las mismas se sirve a las visiones lúbricas de la bruja o a las alucinaciones carniceras del licántropo. Y en apoyo de ésta su convicción me citó el caso de Pierre Bourgot, quien en 1521 confesó ante un inquisidor que él y un compañero se habían frotado los cuerpos con una cierta pomada merced a la cual se convirtieron en lobos voraces, y que de esta guisa atacaron y dieron muerte a diversas personas, y el caso aún más ilustrativo de Peter Stump, ejecutado en 1590, quien reconoció haberse servido para conseguir su metamorfosis en fiera, a más de un ungüento de aceite verdoso, de un ceñidor de piel de lobo que le regalara el diablo. «Éstos son los datos», concluyó Azaria; «extrae de ellos las consecuencias que estimes pertinentes.»

¿Cómo no iba a extraerlas, e idénticas a las suyas?: su argumentación era impecable, y no menos convincentes eran los datos en que la apoyaba. Sin embargo, os confesaré que, más que éstos y que aquélla, me impresionaron ciertos aspectos de la cuestión de los que él hacía caso omiso, y que yo tenía y tengo por fundamentales en tanto en cuanto hacen referencia a esa apertura del hombre a lo que lo niega o lo trasciende, en la cual hay que ver la manifestación más alta de su esencia.

¿Cuál puede ser —me preguntaba— la motivación que lleva a un hombre a abdicar del frágil equilibrio entre la carne y el espíritu en que se fundamenta su incomparable grandeza? Y por toda respuesta, brotaron en mí imágenes turbadoras: la de un hombre que por circunstancias de cualquier tipo —fealdad o deformidad extrema, soledad insuperable, miedo al semejante— no puede satisfacer según los principios de la ley y de la costumbre sus necesidades más íntimas e imperiosas, responsabiliza a los otros y a su propia condición del dolor extremo que lo aqueja por ello —con lo que, dentro de sí, cada una de esas necesidades alumbra a su contrario y con él convive: la belleza y su profanación, la cópula y el crimen, el amor y el odio—, y busca en el herbario infernal de lo prohibido los medios sin parejo con que satisfacer sus ahora ambivalentes apetencias; la de un hombre que, semejante a los otros en todo, menos en la conciencia de sus límites —que en él es ilimitada— y en la impaciencia ante los mismos —se siente negado por ellos—, se procura en donde no debe lo que ha de permitirle vulnerarlos, y apropiarse de la esquiva belleza, y alcanzar la ignición en el incendio del sexo, e incorporarse —no cabe más íntimamente— el alma que lo onnubilara.

¿Y qué terribles consecuencias —proseguía yo, arrastrado por la lógica de mi razonamiento— no tendrá la aplicación del ungüento bestial y maldito sobre el cuerpo estremecido por la inminencia de su entrega al peor desorden, tanto por lo que hace a lo que es obvio y todos enumeran —mayor o menor asimilación de la forma de la bestia, metamorfosis de los órganos internos, locura que nada evita o muerte—, como por lo que respecta a aquello de lo que nadie habla —el desgarramiento de la cortina sutil tras la que laten las fuerzas de lo oculto; la irrupción en nuestro ámbito de las potencias del otro lado, atroces aquí; la destrucción necesaria de quien con ellas topa, y ante todo, de quien con sus actos las conjurara—?

¡Ay, esas consecuencias son siempre imprevisibles, como lo prueba la historia de Baruch y Débora! ¿Creéis, acaso, que de no haberse tropezado ambos con el licántropo —lo que los forzó a acoplarse en un orgasmo que fortificó su pavoroso amor— hubiera encontrado fuerzas el alma de la muchacha para resistir a la llamada que, entre clamores, le llegaba de su reino natal? Y, retrocediendo en el tiempo, ¿no podría pensarse que fue la caída de Débora en el pozo —caída en la que quizá no haya que ver sino un eslabón más de una cadena de acontecimientos espirituales cuyos antecedentes escapan a nuestro conocimiento— la que motivó la tenebrosa decisión por la cual un hombre, cuyo nombre ignoramos, decidió volver las espaldas a la que hasta entonces fuera su condición? Pues entra en lo posible, y por ello, en lo imaginable sin abuso, que la proximidad de la pareja maldita constituyera el desencadenante de una vocación, ignorada o casi, por los atroces manejos de la licantropía, y que aquel hombre, de no haber sido azotado en la noche por los efluvios de lo sobrenatural que se desprendían de Débora, no hubiera renunciado a su honor, ni a la gloria —que encela a los ángeles— de lo humano.

Sea de ello lo que fuere, lo que resulta indiscutible es que el encuentro con el hombre-lobo, vórtice de causas y concausas, supuso un relanzamiento de Baruch y Débora hacia su inaudito destino por el camino de purgación y prueba, de iniciación y castigo que recorrían. Vedlos ahora, de nuevo sobre sus caballos, con el ánimo en suspenso, hastiados e inquietos, dudando sobre qué rumbo seguir; vedlos ahora, demacrados a la incierta luz del alba, demorar una decisión a la que no encuentran sentido: saben que, en las ásperas tierras de Castilla, o más allá, en las rientes vegas del Al-Andalus, o bajo las retumbantes ondas del océano, la muerte, que no ceja, los aguarda, y que nada de lo que hagan podrá retrasar ni siquiera una hora esa cita cuyo carácter ineludible no pueden ignorar.

Entre ellos y la ciudad, retenida por sus murallas en la cumbre del peñasco inmenso, el río se alborotaba, con fragor y espuma, entre las dos paredes de la grieta apocalíptica que hacía de Toledo una fortaleza inexpugnable, y de esta fortaleza, un enclave que, forzado por la naturaleza a abocarse a los tormentosos cielos, se abría con culpable complacencia a las entidades sin nombre que pueblan éstos. Caía la tarde, apuntaba la noche tras los campanarios que dominaban el prieto y pardo caserío, y una fragancia inexplicable ascendía desde el abismo, sonoro de aguas revueltas que la oscuridad hurtaba a las miradas, hasta la altura donde, como clavados en las monturas de sus caballos inmóviles, Baruch, Débora y el cuerpo de Jacob se habían detenido.

Roja al modo de la sangre, una llamarada flameó por encima de los tejados de un grupo de casas mezquinas, abrumadas por la vecindad de una alta, cuadrada y opresiva torre de piedra, y, tan súbitamente como había surgido, se desvaneció tras una triste humareda, pronto disuelta por el viento.

Habló Jacob, con la voz suave de Débora:

«Es un incendio. ¿Ves?»

«No», dijo Baruch. «El crepúsculo y su púrpura te engañaron. Ese fulgor lo produjo el sol: han sido sus últimos rayos.»

Traída por el viento, la oscuridad comenzó a envolverlos.

«¿Y esos gritos?»

Tendió él la oreja. Pero el viento había cambiado de dirección, y ahora llevaba hacia la ciudad el sonido de los cascos de sus caballos, que manifestaban su inquietud pataleando.

«¿Qué gritos?»

«Voces de miedo y de dolor. Del mayor dolor. Y bajo ellos, ruido de carreras, estruendo de lanzas, y el susurro del llanto.»

«Yo sólo oigo el graznar de esos cuervos», rezongó Baruch, alzando un brazo. «Anda. Es ya tarde», tiró de las riendas a su cabalgadura y la dirigió hacia el camino en cuesta, «vamos».

Descendieron —el aire se volvía más cálido a medida que bajaban; el claroscuro de las alturas iba siendo sustituido por negruras casi tangibles; crujidos y rumores furtivos eran indicios de la presencia solapada, en el seno de la vegetación circundante, de pequeñas alimañas contrarias a la luz— y cuando llegaron al puente, éste resonó bajo los cascos de sus caballos, que arrancaron chispas de la resbaladiza piedra.

«Este silencio es una amenaza», dijo Débora. Y luego: «Nunca había visto unas murallas tan opresivas.»

La primera de las puertas de la ciudad que alcanzaron —no pronto: a los fatigados caballos, la ausencia de todo ruido y las tinieblas crecientes parecían adormecerlos—, estaba cerrada, sin guardias. Pasaron, pues, ante ella, sin detenerse apenas ante sus hojas guarnecidas con descomunales planchas de hierro corroído por el verde orín, y, erguidos, siguieron su camino, no sin volver de vez en vez las cabezas para escudriñar la calígine que, sin ruido, avanzaba a su zaga. ¿Cómo extrañarse, en consecuencia, de que, al doblar un recodo muy saliente en el cual la muralla aparecía fortificada con bárbaro exceso, Baruch, a quien la inquietud, ya arrolladora, lo empujaba a no perder prácticamente de vista el progresivo avance de las sombras a sus espaldas, se sobresaltara ante el esplendor de la luz que dominaba la explanada, y que hacía semejante a un ascua la puerta de fascinantes torres redondas y afiligranadas almenas, entreabierta y rumorosa de broncas voces, que probaba la continuidad de la vida en la ciudad? Respingó, así, sobre su silla; buscó con la mirada a su compañero; tironeó sin razón las riendas de su caballo, y buscó cobijo en la penumbra que los salientes de la extraña fortificación del codo de la muralla creaba en el extremo de la explanada donde habían desembocado.

«Está abierta», susurró, «pero es raro que tan poco. Y ominoso que haya tantos soldados».

Mas ya no cabía retroceder. Habían sido vistos. Se los llamaba.

«Despacio. Sin apresurarse», aconsejó Débora, conteniendo a su cabalgadura, a la que la inminencia del deseado descanso electrizaba las patas. «Algo extraño ocurre y no debemos dar muestras de inquietud. Sígueme y domina tu nerviosismo.»

Así lo hizo Baruch, y, al paso, él y su compañero se aproximaron a la puerta, de la que se encontraban a poca distancia cuando una voz los detuvo.

«Desmontad», dijo el soldado. Y una vez que lo hubieron obedecido: «Acercaos. ¿Quiénes sois?» No esperó respuesta. «¿Hablo con cristianos?» Detrás de él, sus compañeros rieron. «¿Acaso con judíos?»

«Nosotros...», balbuceó Baruch.

Pero el hombre lo interrumpió:

«Pasad, pasad. En esta noche santa, cristianos y judíos son bien recibidos.»

Era un soldado viejo, cubierto de hierro de los pies a la cabeza; torvo el gesto, a pesar de la sonrisa que le hacía guiñar uno de sus diminutos ojos.

«Querréis que se os abra más la puerta, ¿verdad? Para que puedan entrar los caballos.» Dio un paso atrás. «¡Poltrones!», gritó a los suyos. «¿Es que van a tener que pernoctar aquí estos viajeros?» Chirrió una de las hojas de la puerta. «Adelante», ordenó. «Y que vuestro Dios, sea cual sea, os proteja.»

Entre dos filas desordenadas de soldados con casco, loriga, cortas espadas y lanzas de madera dura y de filoso hierro, Baruch y Jacob, a los que la luz de las vacilantes candelas deslumbraba, avanzaron confusos.

«¿Es por aquí?», preguntó Baruch.

«Sí, hermano», contestó alguien, quizá con sorna, dando una palmada sobre el anca del caballo de cuyas riendas tiraba el muchacho.

Éste, desconcertado, apresuró el paso, hasta emparejarse con Jacob, y prestó oído a lo que la voz de Débora, casi inaudible, le susurraba:

«No te detengas», oyó. «Toma la rampa. De frente. Más rápido.»

Hubiera corrido, pero su cansina cabalgadura se demoraba a sus espaldas.

«Tenle cortas las bridas. ¡Así! Un poco más, y ya estamos.»

Decrecía, tras ellos, el sonido de las voces de los soldados, del chocar del hierro de sus armas, y el resplandor de las luces que los alumbraba.

«¿Y ahora?»

Llegados a la encrucijada, vacilaron. ¿Por cuál de las tres calles optar? Se decidieron por la más ancha y pina, menos sombría, internándose en ella —siempre a pie; con los caballos, morosos, a sus talones— sin encontrar ningún indicio de peligro que les aconsejara abandonarla. La recorrieron, así, en toda su longitud, y, llegados a su término —una plaza pequeña, centro irradiante de tortuosos callejones—, advirtieron que el suelo aparecía nivelado en adelante, por lo que se apresuraron a montar en sus cabalgaduras, prosiguiendo de esta guisa su marcha —ahora, en hilera, pues lo angosto de la calleja que tomaron no permitía de otra forma el paso de los caballos— en medio de una oscuridad que se adensaba a cada paso.

«Es peligroso avanzar por aquí», exclamó Baruch, que marchaba en cabeza.

Un siseo de Débora le hizo callar.

«¿Y si los caballos resbalan?», insistió él cuando se impuso la evidencia de que en adelante marcharían cuesta abajo, por un plano sumamente inclinado.

«Tente firme», dijo ella. «Una cuesta tan pronunciada no puede ser larga.»

Y tenía razón: bruscamente, el declive se hizo más suave; los muros de las casas, entre los que avanzaban encajonados, se fueron apartando a uno y otro lado; el cielo, invisible hasta entonces, se abrió sobre sus cabezas; y gritos y cantos, sordos fulgores, se insinuaron tras de lo que, una vez a pocos pasos de ella, resultó ser una esquina.

De piedra y madera, con una sola ventana a través de cuyos rojos cristales emplomados se esbozaban masas en movimiento, la taberna resplandecía en la noche, cuyo silencio vulneraba con ruidos y voces estridentes, las cuales, después de una inesperada pausa, surgieron de nuevo, pero con otra tesitura, con una gravedad imprevista, tanteándose entre sí con objeto de acordarse, lo que consiguieron, cuando menos se esperaba, como por arte de magia, trascendiéndose en un canto muy puro en el que el lirismo extremo de la alquitarada melodía pugnaba melancólicamente para cubrir lo descarnado y áspero de la letra que le daba sustento.

«¿Oyes?», preguntó Baruch, con infantil arrobo.

Esto era lo que escuchaba:

In taberna quando sumus,
non curamus quid sit humus,
sed ad ludum properamus,
cui semper insudamus.

Una ráfaga de viento helado, que suscitó en la calle un pandemónium ensordecedor, obligó a los dos muchachos, aún montados, a arrebujarse en sus capas.

«Deben ser clérigos errantes», gritó Baruch, para hacerse oír. Y desmontó con premura. «¿Entramos?»

Abrirse la puerta, aparecer en su umbral los dos muchachos y cesar la canción, fue todo uno: el coro de bebedores, agrupado alrededor de una gran mesa rectangular en el centro de la estancia, y mudo ahora, los observaba con la boba mirada del borracho, y sólo poco a poco, como con desgana, sus miembros acertaron a ir bajando las copas que hasta entonces habían balanceado ante sus rostros para ritmar la canción interrumpida. Esto —la mudez de los mirones, primero sorprendida y luego burlona; el rechazo implícito en el casi imperceptible sentimiento de desprecio que iba encendiendo las antes sólo obtusas miradas— desarzonó el ánimo de Baruch, que, sin lograr articular una palabra, anduvo unos pasos hasta situarse a plena luz, bizqueando en su deslumbramiento.

«*Prout christianus sum*», gritó uno de los reunidos, «*nasus ille, ni sexties major sit, meo esset conformis*».

Todos —menos Baruch, menos Jacob, menos el tabernero, que había salido de una habitación interior al producirse el inesperado silencio— rieron.

«*Quantus nasus! aeque longus est*», cloqueó otro de los bebedores, aparentemente más embriagado que el resto de sus compañeros, «*ait tubicem, ac tuba*».

De dos zancadas, Jacob —alto, macizo, musculoso— alcanzó el círculo de luz, y, situándose delante de Baruch, miró con fiereza al último que había hablado.

«*Si quis calumnietur levius esse quam decet theologam, aut mordacius quam deceat Christianum*», se apresuró a decir éste, «*non ego, sed Democritus dixit*».

Pudo oírse entonces el chisporroteo de los candiles que, entre las jarras y las copas, daban luz a la mesa. Y, a continuación, las palabras que, con un hilo de voz, empleaba el tabernero para dar la bienvenida a los viajeros.

«Nuestro Señor guarde», balbuceó, «a quienes a mi modesta morada llegan». Y retrocedió apresuradamente al ver que del grupo de bebedores arracimados alrededor de la gran mesa se destacaba uno, vestido de modo heteróclito —como con piezas de trajes varios conjuntadas con arbitrariedad y fantasía—, que, esforzándose para conservar la vertical y no tambalearse, se aproximó a los dos muchachos y, con una reverencia entre burlona y servil, los invitó a tomar asiento en una mesa próxima a la ventana.

«Beberemos juntos, si me invitan.» Sonreía. «Y aun tendría placer en probar los alimentos, exquisitos», guiñó un ojo al tabernero, «que nuestro pulquérrimo amigo tendrá a bien servirles —¡y bien que lo deseo!— de mediar una petición en regla, para poder luego brindar a tres, de forma conveniente, con los estómagos llenos, por el feliz término del viaje que, trayéndolos aquí, nos ha permitido conocerlos.»

Dijo y se sentó en una banqueta, ante la mesa por él escogida, sonriendo una vez más a Baruch y Jacob, quienes, sonriendo a su vez, aquiescieron.

«¡Bebida y comida, tabernero!», gritó el hombre, sin apartar la vista de los dos muchachos mientras éstos tomaban asiento. «¡Lo mejor de lo mejor para los recién llegados!» E inclinándose hacia éstos, añadió: «El corazón, caliente; los vientres, repletos.»

Tornaron a cantar, olvidados de ellos, sus compañeros:

Bibit pauper et egrotus
bibit exul et ignotus,
bibit puer, bibit canus,
bibit presul et decanus.

«Esta noche», dijo el hombre, haciendo señas a sus dos interlocutores para que se le aproximaran, a fin de poder hacerse entender sin verse obligado a alzar la voz tanto como, debido al estruendo que hacía el coro de borrachos, de otro modo hubiera resultado preciso para lograrlo, «es noche de prodigios, y Toledo, centro de reunión de todos los engendros que a la razón repugnan. ¡Se van a ver sucesos peregrinos! ¡Oh! Y regocijantes.» Se echó hacia atrás, con grandes aspavientos. «Pero, ¡silencio, ahora!, veo que ya llega el vino», arrebató una copa de manos del tabernero, antes de que éste hubiera podido depositarla, con las otras, sobre la mesa, «y hay que brindar por ello». Alzó con ímpetu la mano con que la había cogido, y, sin dar tiempo a los dos muchachos para imitarlo, se la llevó a los labios y bebió hasta apurar su contenido. «Por Jesucristo vivo, tabernero: aquí hace falta una jarra; o mejor, dos.» Y se secó los labios con el revés de una manga. «Yo decía...», prosiguió. «¡Ah, sí! Decía que ésta es una de esas noches que confortan el corazón de los cristianos viejos. Algún exceso habrá, ¡qué duda cabe!, pero por razones óptimas, y el Señor bendito cerrará los ojos ante los abusos en el orden de la caridad a que se entregarán —pero con inocencia, que todo lo limpia— algunos de sus hijos. ¡Ay de los avaros, esta noche; y de los soberbios. Y de los obstinados, o pérfidos! Habrá sonar de campanas», éstas, como al conjuro de sus palabras, comenzaron a tañer a rebato, con tal ímpetu y profusión, que el coro de borrachos enmudeció asustado, a mitad de una estrofa, prosiguiendo luego, una vez hecho al ruido, por el estribillo de otra canción; sorprendentemente, pues los miembros del grupo no parecían haberse puesto previamente de acuerdo para ello, «habrá correr de gentes y resplandor de picas y de espadas, pues el día», se interrumpió con una carcajada, «...perdón: la noche, la noche de Su ira hace ya horas que empezó».

Vociferaban los borrachos:

Hircus quando bibit,
que non sunt debita dicit,
cum bene potatur,
que non sunt debita fatur.

Un grupo de hombres silenciosos —de los que sólo penetró en la taberna el ruido del roce nervioso del calzado sobre el suelo de la calle— pasó con premura al otro lado de la ventana.

«¿Lo oyen? Son los vengadores. La plaga que Dios envía contra sus enemigos. ¡Qué sonido tan alegre deben hacer sus lanzas y sus cuchillos, sus horcas y sus espadas! Nosotros, ¿verdad?, no tenemos de qué inquietarnos. Porque estamos en Su gracia...» Se volvió hacia el tabernero, que los observaba desde lejos. «Pero no en la de éste... ¡Eh, tú: esa comida y esas jarras!»

Intervino Baruch:

«¿De qué vengadores, de qué plaga, de qué ira habla?»

El hombre lo miró demoradamente a los ojos y una sonrisa muy leve cubrió su rostro de arrugas.

«Y esos enemigos —de los que no formamos parte— las futuras víctimas de la cólera...»

«¿Futuras?», rió abiertamente. «Y, ¿víctimas? Yo diría, mejor, pecadores y siervos del Malo, a quienes ya les llegó la hora. Reos, por los que sería culpa sentir piedad, pues sentirla implicaría poner en entredicho el carácter justiciero de la decisión que los conduce a la muerte.» La más extrema seriedad cubría ahora, como una máscara, la cara del hombre. «¿O es que...?» Se interrumpió al oír ruido a sus espaldas. «¡Hola!», exclamó, volviéndose. «¡Ya están aquí!»

Eran el tabernero, con una gran jarra de vino en cada mano, y una moza infructuosamente obstinada en la tarea de impedir que se le derramara la salsa de la fuente que, en inestable equilibrio, portaba.

«Vino del mejor, y carne como no se encuentra otra semejante en muchas leguas a la redonda», dijo satisfecho el dueño del establecimiento, posando con cuidado las jarras sobre la mesa, y retirándose luego hacia el fondo de la estancia.

Sonrió la moza al hombre y a los dos muchachos, y en especial a Jacob, sin conseguir arrancar a éste de su ensimismamiento. ¿Fue por ello, despechada, por lo que se aproximó entonces tanto al mayor de los reunidos, restregando su cadera contra el flanco del varón, e inclinándose, al depositar la fuente entre los tres, de tal modo que uno de sus pechos, muy grande, quedara colgando ante la cara del hombre? Éste, advirtiendo o no el sentido de tal manejo, aprovechó la ocasión, y su mano, con cautela, buscó el borde de la falda de la muchacha, la alzó, se deslizó sobre la piel satinada del entremuslo, y acabó, tras juguetear con el vello rizoso y húmedo que estorbaba su acción, por introducir dos dedos en los gozosos repliegues ardientes que daban acceso a la intimidad última de la hembra.

Acercó ésta, arrebolada, sus labios a la oreja de quien la enervaba, e, inequívocamente irritada por la respuesta que recibió —no pudo ser sino un monosílabo; o ni siquiera: un encogimiento de hombros—, se zafó de la mano lujuriosa, mascullando unas palabras que hacían problema de la potencia viril del dueño de la misma.

«Se alborotó la hembra. Pero ¿qué quieren? A mi edad, la comida y la bebida priman.» Y escanció vino en su copa, que vació de dos largos tragos. «¡Ah, qué calorcillo deleitoso!» Se acariciaba el vientre con las dos manos. «Y ahora, probemos la comida. ¿No les apetece? Esta salsa, espesa, con especias aromáticas y mucha sustancia, parece haber sido preparada con manos de ángel.» Rió. «Un ángel, si fue el que yo creo, desbordante de dones, pero, ¡ay!, de humor fiero. A ver... ¡Pan!», pidió a gritos. Y no bien el tabernero dejó sobre la mesa una hogaza, él, con un cuchillo que se sacó de donde ninguno de los dos muchachos pudo determinar, cortó una gruesa rebanada y la mojó de seguido en la rojiza salsa humeante. «Exquisita, sí.» Se relamió. Clavó el cuchillo sobre la tapa de la mesa. Miró, uno tras otro, a Baruch y Jacob. «¿No comen?» Una pausa tensa. «¿Acaso les molestó que yo lo hiciera primero? ¿No? Bien. Entonces, ¿les repugnó que metiera en la salsa la mano con que antes toqué las partes pudendas de la moza?» Se llevó la diestra a la nariz. «Hum, delicioso: *odor di femina!* ¿Es que no les gusta?» Se olisqueó de nuevo la mano. «Pues a mí, sí. Y como a mí, a todo hombre bien nacido.» Su voz era cada vez más aguda. «¿O será, ¡santos cielos!, que la salsa tiene sangre? ¿Es eso?» Gritaba. «¿Es que no quieren, es que no pueden probarla?»

Antes de que pudiera seguir, Jacob, incorporándose con estrépito —derribó la banqueta que hasta allí ocupara— y bordeando lentamente la mesa, se le acercó, lo cogió por los brazos, apretó, alzó al hombre en vilo, se lo aproximó hasta que las dos caras se rozaron, y por último, sin esfuerzo aparente, lo arrojó lejos, contra el suelo, ante el estupor de Baruch, que, como los bebedores de la otra mesa, también se había levantado.

Se oyó muy baja, masculinizada por la ira, la voz de Débora.

«¡Miserable criatura!»

Sin dar las espaldas a los compañeros del caído, los dos muchachos —con la respiración entrecortada, Jacob; muy pálido, su compañero— se dirigieron a la puerta. Y ya en la calle, como quiera que habían dejado la pesada hoja entreabierta, oyeron al hombre gritar desde el seno de un silencio perfecto:

«*Maledicat illum Deus Pater qui hominem creavit. Maledicat illum Dei Fillius qui pro homine passus est. Maledicat illum Spiritus Sanctus qui in baptismo effussus est. Maledicat illum sancta crux, quam Christus pro nostra salute hostem triumphans ascendit*!», decía.

Corrieron. Se alejaron a la máxima velocidad que lo angosto de unas calles, lo escarpado de otras y la oscuridad reinante en todas permitían a sus cabalgaduras, no refrenando su marcha hasta que —con dolor, con rabia, con miedo— comprendieron que los gritos y ayes, el rumor de pasos precipitados, el galopar de caballos y el retumbar de cuerpos contra el suelo, los incendios y las fogatas en las encrucijadas, las voces de mando y el repetido silbido de las hojas de negro hierro, las canciones obscenas, las invocaciones desesperadas, las plegarias impías, la sangre en los quicios de las puertas, la sangre formando charcos en las calzadas, los miembros amputados y los cadáveres retorcidos y tristes y grotescos, configuraban el espectáculo aterrador de una matanza de judíos por cristianos en celo.

«Son como perros», dijo Débora. «Han olido sangre, y no pueden contener sus lujuriosas y macabras apetencias. Desgarrarán cuerpos; cercenarán brazos, cabezas y piernas; ahogarán y violarán, cegarán y quemarán en nombre de su Cristo, con los ojos inyectados en sangre y los falos tensos, mientras el cansancio y la náusea y el vértigo de la muerte no distiendan sus músculos, no alumbren en sus almas —si es que las tienen— el fuego del horror de sí, no despierten al niño que duerme —¡cuán profundamente, a veces!— aun en el corazón de los más soberbios.»

Estaban —temblorosos, despavoridos— en un callejón que, estrecho y oscuro en su primer tramo, se ensanchaba luego y resplandecía bajo la luz triste de la luna llena.

«La desolación no llegó hasta aquí», susurró Baruch, buscando el calor del cuerpo de Jacob, que, como él, había descabalgado. «¿Conseguiremos librarnos de la abominación que nos acecha?»

Arriba, sobre sus cabezas, una ventana se cerró con ruido. Y, como por ensalmo, la calma que hasta entonces los envolviera, desapareció.

«Vienen», dijo Débora. Y, acariciando el cuello de su cabalgadura, añadió: «Tranquiliza a tu caballo, para que no relinche.» Buscó desesperadamente un refugio con la mirada, que se calmó de a poco. «Ya está. Ven. Creo que ahí nadie irá a buscarnos.»

Aún no habían acabado de cerrar tras de sí las pesadas y quejumbrosas hojas de la puerta —inexplicablemente abierta— de la alta tapia que ocupaba todo un lado de la calle —el opuesto a aquél donde se encontraban momentos antes—, cuando un grupo de seis o siete hombres cruzó ante la rendija por la cual Baruch y Jacob miraban y, tras detenerse para cobrar aliento, se precipitaron con gran ruido de voces y de golpes contra la puerta situada bajo la ventana que, con su portazo, los alertara, y, a fuerza de empujones, escandidos con blasfemias, la desgonzaron, desapareciendo todos ellos en el interior de la casa, cuyo silencio fue sustituido en pocos instantes por un estruendo enloquecedor.

«No son soldados», dijo Débora. «Son artesanos de alma encallecida. Chusma sin nombre que se encorva ante el fuerte y daña al indefenso.» Se volvió hacia Baruch. «Cierra los ojos», le conminó. «El espectáculo va a ser terrible y sangriento.»

Él hizo como si no hubiera oído su consejo, y preguntó: «Por qué callan ahora?»

«Los verdugos», dijo Débora, «porque ya tienen a sus presas; las víctimas, porque saben que les llegó su hora. Unos y otros se reservan, hacen acopio de fuerzas para lo que va a seguir». Su voz se tiñó de emoción. «Ya salen. Ya los sacan.»

Ella era una mujer joven, gastada por el trabajo, bella quizá bajo los largos cabellos en desorden de su peluca; él, un hombre maduro, de barba encanecida y ojos fulgurantes. Ambos, muy rígidos, parecían al borde del sueño.

«¿Quién osará hacer el primer gesto? ¿Quién, esbozar el ademán que desencadenará la tragedia? ¿Quién, iniciar la acción, reprobable entre todas, a cuyo término la muerte tomará posesión de esta calle: arropada en su manto, con una sonrisa equívoca?»

Fue el más viejo del grupo. Como quiera que la mujer, lastimada por la presión creciente en sus brazos de las manos de quienes la inmovilizaban, dejara escapar un gemido —leve, casi inaudible, modesto por así decir, en el que no podía discernirse ni la sombra de una queja—, aquel hombre indigno se aproximó a ella y —excitado por su indefensión, avergonzado por el proceder propio y de sus compañeros o deseoso de aprovechar la ocasión para rozar una carne deseada— le dio un manotazo en la boca con tal brutalidad y torpeza que ésta comenzó a sangrar. «¿Qué me has hecho?», acertó a balbucear el energúmeno —que había retirado la mano al sentírsela mojada—, después de contemplarse los dedos con mentido asombro. Mostró los nudillos ensangrentados a los otros hombres. «¡Me ha mordido, la pécora!», explicó o se disculpó. Y luego, como enardecido por su propio infundio, o intentando darle una apariencia de veracidad, alzó la voz: «¡Pero yo se lo haré pagar!» Y, desdeñando el bramido impotente del esposo, que se debatía entre los brazos de sus captores, abofeteó y abofeteó y volvió a abofetear a la mujer indefensa, sin conseguir arrancarle el más pequeño gemido.

«¡Quieto, tú!», masculló uno de los hombres que retenían a la mujer, al tiempo que alejaba, con una patada, al agresor de ésta. «No nos la estropees. ¿Es que ya no puedes hacer temblar a una hembra de otra forma?»

Frunció los labios el interpelado, con rabia. Y escupió luego. Y, enseñando los largos dientes, se pasó la gruesa lengua por el borde cortante de los mismos.

«Yo», dijo con voz muy calma, «te voy a enseñar a ti y le voy a enseñar a ella lo que vale este hombre».

Y se bajó las calzas con tanta premura, que los otros no pudieron reprimir una carcajada.

Mugió sordamente el marido, que, libre por un momento —la visión de los genitales arrugados del innoble viejo había provocado un desencadenamiento de toda su fuerza viril, gracias a la cual consiguiera zafarse de sus opresores—, se abalanzó contra quien amenazaba a su mujer, pero antes de que consiguiera golpearlo, los otros cayeron sobre él, machacándolo a puñadas, que le hicieron contorsionarse de dolor, y descoyuntándole un brazo.

«¿Estás satisfecho?», le preguntaron los sayones mientras, sin prestar atención a los lamentos que le arrancaba el modo como le hacían crujir el brazo desencajado, se esforzaban para incorporarlo del suelo, primero, y para privarlo de toda posibilidad de moverse, después.

Lloraba él, sin decir palabra. E hipaba, como un niño.

«¡Al suelo!», gritó el viejo, con el rostro congestionado. «Ponedla en el suelo y sujetadle las piernas. Más abiertas, que ya estoy preparado.»

Y se pavoneó mostrando el miembro ridículo en semierección.

Desde detrás de la puerta, demasiado lejos del grupo que formaban las dos víctimas y sus verdugos como para que pudiera ser oído, Baruch, tenso y sujeto por Jacob, exhaló un quejido. «Lo mataré si lo hace», dijo.

¡Vana amenaza! El hombre se afanaba ya sobre la mujer silenciosa. «¡No!», había musitado ella cuando las dos carnes entraron en contacto, pero luego no volvió a pronunciar palabra. El hombre jadeaba, y entraba y salía, y miraba al marido, que, con la cabeza gacha, parecía ausente.

Se detuvo el viejo.

«¿Todavía no?», le preguntó uno de los que sujetaban a la mujer, extrañamente distendida. Su voz era sardónica. «¿Qué más necesitas?»

«Que él lo vea.»

Una mano brutal enderezó la cabeza del marido. «¿No lo oyes?», le tiró aún más de los cabellos. «Mi compañero quiere que mires, que admires cómo remata su tarea.»

Por toda respuesta, el interpelado cerró los ojos.

«Déjalo», gruñó alguien. «Ya está bien con lo que le hemos hecho.»

Se oyó un quejido, y el brazo descoyuntado, al soltarlo quien lo sujetaba, crujió de nuevo.

«¿Dejarlo? ¿Yo? Él hará lo que le mande.» Y echándose una mano al cinto, desenvainó su cuchillo. «¿Vas a mirar?» Mantenía enhiesta la cabeza de su víctima, a la que encaraba, reteniéndola por los cabellos. «¿Vas a mirar?, digo. ¡Ah!, ¿no? Pues toma. ¡Y toma!»

El grito de la mujer —largo, informe, tembloroso, impúdico—, que hacía eco al —cavernoso y secreto— de su marido, conmocionó a Baruch.

«Débora, Débora. ¡Le ha reventado los ojos!»

Todo freno desapareció entonces: el viejo fornicador fue desplazado a empujones y patadas por sus compañeros; éstos, formando una masa que se removía sin cesar, cubrieron a la mujer; y ella, oculta bajo los cuerpos, prosiguió gritando y gritando, hasta que su grito se convirtió en un aullido.

«Van a matarla, Débora.»

Cesó el grito.

«¡Su marido!»

Los hombres, que se habían ido incorporando, formaban círculo alrededor del ciego, que, buscando a su mujer, se arrastraba sobre la sangre que manchaba la calzada.

«Ya está bien», gritó de pronto uno de los que miraban. Y, con un rápido movimiento, clavó su cuchillo entre las vértebras del cuello del caído.

Baruch se tapó los ojos con las manos y comenzó a temblar.

«¿Se han ido, Débora; se han ido?»

En la calle, solitaria ya, donde los dos cadáveres —el de la mujer, despanzurrado, pierniabierto, con el rapado cráneo sin peluca; el del hombre, contraído y ensangrentado, como deshuesado: una pavesa— habían adquirido, bajo la cerúlea luz de la luna, la tosca apariencia de la piedra mal labrada, ningún sonido, ningún movimiento, venían a perturbar la abominable calma. Erosionadas por las sombras, corroídas por el frío, las casas, abandonadas por sus habitantes, parecían desguazadas de lo humano: tétricas, a merced de las fuerzas imprevisibles de la decadencia. Sólo el cielo, de opaco esmalte negro tizón, conservaba indicios de actividad vital: las estrellas fugaces, de rastro fuliginoso y sorprendente frecuencia.

«Es un niño, Baruch», dijo Débora.

«¿Un niño?»

Contuvieron la respiración, hicieron caso omiso de las señales que les llegaban por intermedio de los otros sentidos, y se concentraron en la escucha, en la expectativa del más pequeño rumor, a la puerta misma de lo inaudible.

«Sí, un niño, Baruch. ¿No oyes cómo llora?»

Él aguzó el oído. Susurró: «¿Dentro de la casa?»

Siseó Débora, haciéndolo callar. «Lo oigo ahí», señaló hacia la fachada frontera, «y aquí, en mi corazón. Es muy pequeño, y se queja».

El paso al trote de un caballo por alguna de las callejas colindantes los distrajo, les impidió advertir la paulatina aproximación de una sombra —seguida por el discreto cortejo de unos pasos— a sus espaldas. Se sobresaltaron, así, cuando aquel que se les acercaba les dirigió la palabra: «No hay niños ahí.» Ellos se volvieron. «Ni aquí», sonrió penosamente el hombre, «motivo de alarma. Tranquilizaos». Iba vestido de negro. Sin color ni vida en las manos, en la cara. «Si vosotros no fuerais forasteros, sabríais que esta casa, que esta torre, y yo ante todo, somos objeto de abominación para judíos y gentiles, que unos y otros preferirían morir antes que hacer lo que vosotros habéis hecho: buscar cobijo tras mis altas tapias.»

Bruscamente, el desconocido se sobresaltó, se detuvo. «Ese aura...»

Avanzó dos pasos.

«¿Quién de vosotros...?»

¡Aquella cara, lozana a la distancia, aparecía ahora, próxima y contraída a causa del estupor, cubierta por miríadas de arrugas!

Murmuró el anciano: «Hay entre vosotros una presencia extraña.»

Se llevó las manos a la cara, cubriéndosela, y bajó la cabeza —con lentitud meditativa— hasta que el mentón barbado reposó sobre su pecho. Luego, cuando alzó la cabeza, sus ojos, achicados por la excitación, brillaban.

«Podréis ayudarme. ¡Venid!» Les señaló la torre, una puerta de hierro en la misma. «Es por ahí», dijo. «Tenemos que acabar antes de que la mañana ahuyente a los fantasmas.»

La explanada, quizá porque las losas de su pavimento iban creciendo de tamaño a medida que se aproximaban a la torre, les resultó más vasta de lo que habían supuesto al considerarla por primera vez, desde la tapia. La cruzaron en silencio, con paso apresurado, a la zaga del anciano, y tras él penetraron, sin haber tenido tiempo sino de echar un vistazo de pasada a los signos y figuras enigmáticos labrados en el zócalo de los muros rojizos de la cuadrada construcción, por la única puerta de la misma, la cual daba acceso a una sala de reducidas dimensiones, de la que partía una estrecha escalera de caracol adosada a las paredes exteriores del edificio. Hacía calor allí, y un olor pernicioso, suma de muchos y encontrados aromas, se alzaba a intervalos del suelo, que, debido a la mala iluminación —sólo lo alumbraba un candil posado sobre el único mueble de la estancia: una mesa de madera tosca—, permanecía en penumbra, escamoteando su secreto a las miradas.

Baruch, sofocado, al borde de un desvanecimiento, buscó apoyo en Jacob, quien le pasó un brazo por la cintura, y lo hubiera recostado contra la puerta, de no ser porque el dueño de la torre, tras coger el candil, subía ya por las escaleras —daba por sentado que lo seguirían—, dejándolos a oscuras. Se apresuraron detrás de él, y aunque no había ventanas, el aire se fue purificando y pronto Baruch pudo respirar a su sabor, recuperar sus fuerzas.

«Vamos a llevar a cabo una operación», dijo el hombre, quien, a pesar de lo arduo de la escalada y de sus muchos años, no daba muestras de fatiga, «cuyos resultados son imprevisibles, pero necesariamente asombrosos. ¿Su objetivo?», se detuvo y dirigió una mirada a los dos muchachos, que jadeaban unos escalones más abajo: «buscar apoyo en las fuerzas del otro lado para detener la inicua matanza que diezma en estos momentos al pueblo santo, y para infundir en el corazón de los incircuncisos, adoradores de sombras, un pavor tanto o más intenso, y tan consustancial a su naturaleza, como el que hasta hoy únicamente le inspiraban la ineludible muerte y las llamas negras del infierno. Invocaré a los príncipes de las tinieblas, a las legiones tenebrosas que velan en las fronteras del universo; los forzaré a someterse a mi imperio, a canalizar sus fuerzas —hasta aquí incontrolables— en el sentido que yo les señale; me serviré de unos y de otras para restablecer la justicia, cuyo equilibrio asegura la pervivencia del mundo, que ha sido vulnerada esta noche en Toledo con tan atroz desmesura. Vosotros», prosiguió su marcha, «me ayudaréis a ello. ¡Oh, será muy sencillo! Y, si seguís puntualmente mis instrucciones, sin riesgo. Tanto más cuanto que la potencia que siento», se llevó una mano al pecho, haciendo oscilar la llama del candil y provocando en los muros por entre los que marchaban encajonados una desbandada de sombras, «que siento y que sé que os habita, pondrá un valladar a la malevolencia probable de aquellos y de aquellas cuya voluntad quiero torcer esta noche».

Habían llegado al término de la escalera. Se encontraban ahora en la cima de la torre.

«¿Veis?» el anciano, inclinado sobre el paramento, entre dos almenas, señalaba hacia abajo. «Aún sigue la matanza. El dolor de Sión no cesó aún; sigue creciendo, como esas llamas que se extienden ya por toda la judería. Apresurémonos. Busquemos apoyo en las estrellas.» Éstas, mortecinas, remotas, cubrían la sonora bóveda de los cielos con inexplicables combinaciones de signos ininteligibles. «Es por aquí.»

El viejo desapareció en la oscuridad. Baruch y Jacob lo siguieron.

«¡Con mucho cuidado! De resbalar, la muerte es segura.»

La escalerilla de hierro, clavada en la pared circular, descendía verticalmente por el centro de la torre hasta profundidades incalculables, muy por debajo del nivel del suelo. Los tres hombres iniciaron su descenso por ella, en absoluto mutismo, absortos en la tarea de posar los pies en el lugar apropiado, iluminados únicamente —habían dejado el candil arriba— por el resplandor incomprensible que ascendía del fondo: ambarino, con centellas rojas en suspensión. Dicho resplandor, inexplicablemente y contra toda norma, iba disminuyendo de intensidad a medida que los tres hombres descendían hacia él, de tal manera que, cuando éstos llegaron al término de su bajada, lo hicieron en medio de la más densa, impenetrable y ominosa oscuridad.

«No os mováis», dijo el anciano.

Y los dos muchachos siguieron con la imaginación su marcha a través de las tinieblas, guiados por el sonido de sus pasos, por el ruido de los objetos que, en el espacio nulo por donde se movía —un espacio sin norte ni direcciones—, desplazaba.

Se hizo la luz. Ante todo, en uno de los ángulos de la desmesurada estancia —cuyo perímetro sólo debía ser ligeramente inferior al de la torre—; luego —el anciano corría de un hachón a otro—, en los tres restantes; por último, en un punto equidistante de uno de los muros y del centro geométrico de la sala: allí se alzaba un extraño candelabro, de largo pie y siete brazos asimétricos, cuyas velas —de cera roja— pronto se ornaron con llamas opalinas, empenachadas de humo.

Concluida su tarea, el anciano se enjugó con una mano el sudor de la frente.

«Poneos esto mientras yo me preparo», dijo, al tiempo que sacaba de un arcón dos túnicas blancas, que entregó a los muchachos.

Éstos, tras olisquear con repugnancia las ropas, de las cuales se desprendía un aroma a flores podridas, se las revistieron, observando seguidamente los manejos del viejo, quien con un hisopo empapado de una sustancia oleaginosa —que extraía de un diminuto pomo— fue pintando en el suelo un ancho círculo, y, terminado éste, otro, concéntrico, de menor radio, entre los que trazó con mano experta jeroglíficos misteriosos. A continuación, de una alacena practicada en uno de los muros —y cuyas puertas de madera, una vez abiertas, siguieron vedando la visión de su interior a los muchachos—, extrajo una larga vara de madera negra, una espada de bronce, una dalmática groseramente bordada de oro y una mitra color ceniza, de piel lustrosa, colocándose rápidamente aquélla y tocándose después con ésta, ciñéndose el arma y cogiendo la vara por su centro, sin dejar que tocara el suelo, avanzando, una vez así vestido y pertrechado, hasta situarse en el centro de los dos círculos, desde donde hizo señal a los muchachos para que se le reunieran.

«Mi invocación», dijo con un soplo de voz cuando los tuvo junto a sí, «atravesará —de salir todo según lo previsto— la *regio mineralis*, la *regio vegetalis*, las esferas del *Aqua Dulcis* y del *Aqua Salsa*; dejará atrás la *Infima Aeris regio*, la *Media Aeris regio*, la *Suprem Aeris regio*; y alcanzará las zonas del mayor misterio. Sí. Amén».

Dando muestras de la más agigantada agitación, se aproximó al círculo interior, examinando con detenimiento maníaco algunos de los jeroglíficos que pintara momentos antes, y su nerviosismo, inverosímilmente, había crecido cuando se unió de nuevo a Baruch y a Jacob para recomendarles que, bajo ningún pretexto, por causa alguna, abandonaran la protección de los círculos mientras él llevara a cabo sus conjuros.

«Seríais castigados, de no obedecerme, de modo atroz», les advirtió, al tiempo que se calaba la mitra; «y también, de no guardar el más estricto silencio y un máximo de reverencia».

Y diciendo esto, se contrajo, apretó la vara contra su pecho, puso los ojos en blanco y comenzó a salmodiar ininteligiblemente, balanceándose de atrás adelante y de adelante atrás, cortando a intervalos su cantinela con suspiros de hembra.

Bruscamente erguido, lanzó un grito.

¿O un quejido?

No: había articulado un nombre.

«¡Ashmedai!»

Y Baruch, al ver que la cara del anciano se ennegrecía, fue presa de temblores.

Una vibración levísima atravesó la estancia. Entre la música y el silencio, la tristeza y el hastío la coloreaban.

«¡Ashmedai! Y vosotros, Qafqafuni y Qafsafuni, duques, como él, con mando y poder sobre los ejércitos del hielo, sobre la caballería artera y las tropas de a pie que patrullan junto a las fronteras de la nada: ¡escuchadme y responded, pues yo os invoco! Con la autoridad que me confiere el conocimiento del Nombre, y porque abrí una vez la puerta que sabéis y sigo, sin embargo, aquí, fuera del alcance de la piedra y de las lanzas, tiento vuestro corazón y pido vuestra ayuda: ¡no ignoréis mi grito, no ignoréis mi convocatoria, no ignoréis mi impetración! Exijo, y espero, por la virtud de mi ciencia, por la santidad de mi palabra.»

Olía a cadaverina, atufadoramente. A cadaverina y a violetas, también. De modo asombroso. Y Baruch buscó refugio en el cuerpo de Jacob. Y el cuerpo de éste lo acogió, y lo protegió con sus brazos.

El anciano, ahora, blandía con furia su larga vara.

«¡Oh, tú, Sammaël, arconte ciego y dragón sin ojos, generalísimo y amo, príncipe, señor, que yaces en la eterna noche junto a las ruinas, y a las rocas sobre las que éstas se alzan dispersas, que son, unas y otras —pero además, no—, tu dama: la vieja Lilith, de ojos como arracadas de esmeraldas! ¡Oh, tú, que lloras al oír el nombre de Amaleq, y, árbol sin raíces, con hojas de piedra, buscas en la música una encarnadura que preserve entre nosotros tu escondida esencia! ¡Ven! Senos propicio, despliega tus poderes. ¡Ven! Y que Toledo, y su pueblo, tintos en sangre, se dobleguen bajo tu fuerza.»

Calló, trastornado. Pues uno de los cuatro hachones que iluminaban la estancia se había apagado entre chisporroteos.

«¿Estás ahí? ¿Estás ahí, señor?»

Uno tras otro, los tres hachones restantes fueron cambiando por el humo los resplandores de la llama.

«¡Señor altísimo! ¡Mariscal de las tinieblas!»

Fue de súbito. De aquí, el clamor horrorizado de Baruch y el anciano. Pero ¿por qué, también, la carcajada hiriente de Débora, hecha de cristales que se rompen?

¡Las siete luces del candelabro, y el candelabro mismo; y con éste y con aquéllas, la estancia con sus muebles y con sus objetos, y la torre, y la ciudad, y el resto del mundo, habían desaparecido!

Gritó Débora:

«¡No; éste, no!»

Y cesó la presión que atenazaba a Baruch, al extremo ya de la asfixia, convulsionado por abominables orgasmos. Y el muchacho cerró los ojos —¿para qué?—, pero no antes de que, como una visión de pesadilla, el anciano cruzara ante él —¿por dónde?— desnudo y negro —¡ay, su aullido!—, tocado con un gorro de llamas.

¿Recordáis vosotros —sin duda, sí— que fue dicho: «Y no haya en medio de ti quien haga pasar por el fuego a su hijo o a su hija, ni quien se dé a la adivinación, a la magia, a hechicerías, a encantamientos; ni quien consulte a encantadores, a espíritus, a adivinos; ni quien pregunte a los muertos. Es abominación para el Señor cualquiera que esto hace»? ¿Y no recordáis que está escrito: «Ciertamente, Señor, has rechazado a tu pueblo, a la casa de Jacob, porque está llena de adivinos y hechiceros, como la de los filisteos, y porque ha pactado con los extranjeros?» «¡No dejarás con vida a la hechicera!», ordenó el Santo; y esa orden a todos, aun hoy, nos obliga. Una noble sombra, sin embargo, fue invocada, por orden regia, sobre los altos de Endor; y luego, muchas otras, parejamente insignes, también lo fueron, y por hombres, ya que no ceñidos con la corona, sí ungidos con el óleo de la perfección. ¡El cortejo formado por quienes, mediante la oración y la magia, se esforzaron para alumbrar la chispa de lo vivo en el seno de la roja arcilla, sería —bien lo sabéis— inacabable! ¡La teoría de aquellos que, por intermedio de las estrellas o valiéndose de otros recursos —y sin desertar por esta causa del servicio de su Dios—, se esforzaron para arrancar al futuro, mediato o último, su esperanzado secreto, más que larga resulta inabarcable para la imaginación o el cálculo!

Que no os turbe, ni inquiete, ni escandalice esta contradicción —que es sólo de apariencia— entre una orden inequívoca, de origen sacro, y un comportamiento que, aun vulnerándola, no se hace por ello pasible de pecado. Pues habéis de saber que todo —deberes y derechos—

debe subordinarse a la primacía de lo más alto, y que así como lo más alto, en el orden de lo humano, es la conservación de la propia vida, en el orden de lo sagrado lo es la supervivencia de Israel, instrumento de la voluntad divina por los senderos del mundo. Ésta es la razón de que no haya culpa en quien, para evitar la catástrofe que raería de la faz de la tierra a los hijos de Sión, recurre a lo prohibido, según lo atestigua, entre los sabios del Talmud, rabí Chammay, quien una vez dijo: «Lucha hasta que la ciudad sitiada sucumba, aun en el día del *sabbat*» —se acordaba, al propugnar esto, de que Jerusalén cayó por la violencia en manos de Roma a causa de que los defensores de la ciudad sólo recurrían a las armas el día del sábado si se sentían en peligro de muerte cierta, permaneciendo mano sobre mano mientras los enemigos hacían los preparativos para el ataque del que se siguió su victoria—; y este mismo sabio, hablando con rabí Hillel, que se mostraba intransigente por lo que respecta a la prohibición de cohabitar con hembra durante el período de impureza menstrual, lo amonestó en otra ocasión con las palabras que siguen: «Si te muestras tan riguroso, impedirás a las hijas de Israel tener hijos y provocarás una baja de la natalidad.»

Y yo, ahora, os pregunto: ¿acaso Israel ha vivido un solo día, desde que la abominación arrasó el Templo, sin peligro inminente de extinción? ¿No justifica ello a quienes, como el mago que mantuvo enlazado durante una hora terrible su destino con el de Baruch y el de Débora, hacen llamada a las fuerzas que no son de aquí para evitar el aplastamiento de los justos por la bestia que no duerme? ¡Ay, el Santo nos aventura por el mundo, se oculta y calla! ¿Qué nos queda, pues, sino revolvernos y, ya que estamos inermes desde el punto de vista de los hombres, echar mano de la resplandeciente espada de las ciencias prohibidas? ¡No duermas nunca, Jacob, pues el enemigo acecha! ¡Vela siempre, Judá, pues en el ámbito de la mayor calma se agazapa el adversario peor, alimentado y fortificado por tu desgana en la vigilancia! Yo, que no sufrí persecución abierta, que nunca me vi acorralado contra la pared con sangre y vísceras del martirio, lo sé, no obstante, bien —tiemblo cuando me aventuro por las sendas del recuerdo—, pues la experiencia me lo enseñó —y sin subterfugios, para que nunca lo olvidara—, como aprenderéis si me seguís escuchando.

Toda Salamanca amaneció engalanada aquel día. El sol apenas apuntaba por el horizonte, y ya las campanas de cada una de las iglesias y de cada uno de los conventos de la ciudad repicaban alegres anunciando la buena nueva. Porque aquélla iba a ser una jornada grande. Sí, una fiesta inigualable en honor de la fe de una nación fuerte: dos hombres y una mujer, judaizantes confesos —pero por la tortura, pero por el terror—, serían entregados, bajo la mirada complaciente y beata de las autoridades religiosas y civiles, de la nobleza y de los burgueses, de la chusma fanática, a la aborrecible consunción por el fuego. ¿Tendré que decíroslo? Yo, que no podía ignorar lo que se preparaba, había pasado la noche en soliviantada vigilia, y había asistido al levantamiento del alba con la mirada turbia, con frío en el hueco del corazón, abarraganado con la desesperanza. Así me sorprendieron, muy temprano aún, dos compañeros de estudios —mostachos y mosca de matamoros en rostros donde el infantilismo y la poquedad de luces hacían buena liga con esa fatuidad y esa altanería que constituyen la usual máscara precaria del necio bien nacido—, quienes, tras confiarme con los ojos en blanco que acababan de confesar y comulgar para presenciar con el máximo provecho tan grandioso acto pío, me invitaron, y ante mi negativa, me forzaron con amenazas encubiertas —¿se debía mi resistencia a participar en el festejo a un inexcusable desfallecimiento de mi temple viril, o acaso tenía como causa una sospechosa tibieza de mi catolicidad, que podría inducir a alguien a poner en entredicho la limpieza de mi sangre?—, me empujaron —digo— con sonrisas maliciosas, que alternaban con despreciativos fruncimientos del ceño, con gestos torcidos, a dar mi asentimiento al deseo compartido por ambos de asistir los tres —y yo, no de negro, sino con mi más lucido y alegre atavío— al auto de fe, para pasmarnos juntos de la obstinación en su error de los apóstatas, y para gozarnos luego de su dolor en el trance postrero.

Con vergüenza que, hipócritamente, procuré ocultarles; sin conseguir, a pesar de que me esforcé rabiosamente en ello, mimar una alegría que pudiera ponerse al paso de la de mis compañeros, acabé por asentir, y, una vez aseado e infamantemente trajeado —fue la última vez que vestí aquellas ropas deshonradas: a la noche, las quemé en mi chimenea—, salí con ellos de casa, y con ellos me sumé al gentío que ya alborotaba las calles con su charra e inhumana excitación. ¡El Santo (bendito sea) me perdone! Sin saber cómo —magullado por los empujones, ensordecido por los gritos, mareado por la visión de tantos rostros desencajados a causa de la lascivia de la muerte violenta— me encontré en la plaza mayor de la ciudad, que no reconocí al pronto debido a que las gradas que se escalonaban ante la fachada principal de la misma, el tinglado que se alzaba en su centro, y las colgaduras que pendían de sus balcones, alteraban por completo su familiar fisonomía. ¡Qué estruendo! En un palco con dosel y revestimiento de terciopelo negro, un caballero estevado, de barba blanca y fúnebres maneras, cuyo sombrero se exornaba con un airón de plumas amarillas, charlaba con un clérigo empurpurado, seboso y cejijunto, que pasaba de la unción a la ferocidad en el gesto de manera celérica. Alrededor de ellos, caballeros y curas —todos ataviados con ropas de color oscuro— platicaban con un sosiego que iba menguando a medida que crecía la distancia a que se encontraban de los dos personajes que presidían el acto. Y arriba, en los balcones, y abajo, contenido por la soldadesca armada con picas, un gentío innumerable, del que yo formaba parte, se empujaba, reía, gritaba, los ojos de cada uno de sus miembros —pero no los míos, a los que empañaban unas lágrimas que, disimulando, me sorbía en silencio— centelleantes por la codicia de la sangre.

Redoblaron unos tambores, se alzó —estridente— el clamor de unas trompetas, y el silencio, una vez acallado el sonido de los instrumentos musicales, se extendió por sobre los allí congregados, al tiempo que la masa se hendía en el punto donde la plaza daba nacimiento a una de las calles que de ella partían. Con el corazón alborotado, cubierto el cuerpo por un sudor de hielo, avisté entonces el cortejo, que iniciaba su desfile circular por el centro de la plaza, alrededor del cadalso. Iba delante la compañía de soldados cuyos tambores y trompetas, ahora acallados, nos conmocionaran momentos antes. Tras ella, una representación del clero regular y otra de las diversas órdenes religiosas con casa abierta en Salamanca, erizadas de estandartes y cruces y seguidas por miembros del tribunal de la Inquisición. Y por último, sobre una carreta tirada por mulas, semiocultos tras la cortina de lanzas de los hombres que los escoltaban, los tres reos, con sus infamantes sambenitos y sus mitras bamboleantes, que se esforzaban en conservar el equilibrio —y con él, la dignidad— y en impedir que se les apagaran los gruesos cirios temblorosos que traían en las manos.

Se repitió la tocata militar —con los soldados en formación geométrica— al detenerse, entre crujidos, el carro de los condenados delante del palco de las autoridades. Se apelotonaron los eclesiásticos del cortejo, haciendo flamear sus insignias, a uno y otro lado de la escalera de madera por la que subirían al cadalso los reos. Y éstos, bajados a empellones del vehículo de su vergüenza, fueron rápidamente despojados de sus mitras y de sus sambenitos, quedando cubiertos los dos hombres por un minúsculo calzón tan sólo, y la mujer, por una larga y ancha camisa blanca.

De mediana edad los tres; temblando de frío, de miedo o de bochorno sobre sus pies descalzos; patéticamente agrupados, aquéllos cuyos cuerpos serían pronto un vuelo de cenizas, no osaban levantar los ojos del suelo; ni respirar, casi. Y yo, viéndolos así, expuestos al ludibrio, inermes y tristes, me preguntaba, lleno de ira, si habrían sido denunciados por haberse negado a comer cerdo, conejo o anguila que les fueran ofrecidos con dolo por algún falso amigo; o por —en un viernes que habría de serles funesto— haberse cambiado de camisa, haber limpiado a fondo sus casas, haber encendido velas al anochecer, después que dejara de ondear el humo de sus chimeneas; o por balancear la cabeza y doblar de vez en cuando la cintura en la iglesia, por no rematar con un *gloria patri* el recitado de los salmos, por despertar de su sopor al oír en medio de un sermón una cita del Antiguo Testamento, por decir tartamudeando «Padre, Hijo y Espíritu Santo», por haber conservado la hostia en la boca y habérsela tragado apresuradamente al advertir que los observaban; por saberse que uno de los miembros de sus familias se había vuelto de cara a la pared para morir; por tener el miembro circunciso, los hombres; por haber tardado cuarenta días, tras un parto, en volver a la vida normal, la mujer...

Pero ¡ya subían, a trompicones, la escalera del cadalso! Y, una vez arriba, entre los verdugos y los frailes que los aturdían con sus exhortaciones, ¡ya volvían los ojos al cielo —no tanto, quizá, en busca de un signo celeste que los confortara, o para recogerse, como a fin de rehuir las miradas feroces de la chusma que aullaba—! Sus cuerpos fueron encadenados a los postes. Se amontonó leña seca a sus pies. Uno de los verdugos desenvainó una gruesa espada para significarles que, de abjurar de su fe, serían decapitados y el fuego no consumiría sino sus cadáveres. Yo cerré, entonces, los ojos, y no los abrí hasta que el silencio anhelante de la multitud me indicó que ya las llamas lamían los cuerpos de los mártires. ¡Nunca lo hubiera hecho! Hasta el día de mi muerte, recordaré con el vientre revuelto cómo las carnes se ennegrecían; cómo los rostros se deformaban —el rugido de la multitud impedía oír los quejidos de las víctimas—; cómo los miembros se retorcían, hasta acabar inmovilizándose en un quiebro de espantajo; cómo las llamas y el humo espeso, y las emanaciones nauseabundas de la blasfema combustión, crecían, crecían, crecían como si quisieran cubrir todo el universo.

¿Veis? Todavía lloro.

Llegado a Roma, años después, con la esperanza de que no tendría que presenciar otra vez un espectáculo semejante, fui desengañado al respecto, a poco de haberme convertido en un habitante más del *ghetto,* por un conocido, quien me contó que hubo durante siglos una costumbre en la ciudad, legitimada por la divertida aprobación de los Papas, según la cual, en el transcurso de los juegos carnavalescos, el miembro más anciano de la comunidad de los santos era subido a la cima del monte Testaccio, y una vez allí, introducido en un barril erizado de agudos clavos que, entre risas, se tiraba ladera abajo, al término de la cual aguardaba el resto de la comunidad, presta para recoger —llenos los ojos de lágrimas y henchido el corazón de respeto— los tristes restos del venerable mártir. «Hace ya casi doscientos años», me informó mi comunicante— que esta costumbre bestial fue abolida. Pero aún continúa vigente otra, la conocida como carrera de los bárbaros de dos y de cuatro patas, que, establecida por el pontífice Pablo II, constituye la diversión mayor de los romanos durante los días de Carnaval. Pide al Señor (¡bendito sea!) para que tu nombre no figure en la próxima lista de la infamia».

No, no figuró. Pero sí, el de un amigo —aunque reciente, ya muy querido—, hombre versado en los saberes mayores, de constitución débil y bondad grande. ¡Oh, al enterarme de su designación, temblé por su suerte! Pues habéis de saber que los designados por el jefe de la cristiandad con el nombre de bárbaros de cuatro patas eran búfalos y burros, y los llamados bárbaros de dos patas, judíos, jóvenes y viejos, que habrían de arrostrar una competición marcada por la ignominia y la befa. ¡Me parece que aún lo estoy viendo! Mi amigo, de edad madura, corría con las piernas desarticuladas, ridículamente, las manos sosteniendo el desbordante corazón. A su alrededor, la chusma hostil, alborotada, reía a carcajadas, gritaba hasta la afonía. Y encima, sobre las cabezas de los allí reunidos, un sol ardiente —impropio de la estación del año en que se celebraba la carrera— reblandecía los sesos e inclinaba los ánimos al desenfreno. ¡Señor de los Ejércitos! Él, mi amigo, derribado por una zancadilla, cayó por tierra delante mismo del balcón desde donde el Santo Padre —esforzándose para conservar una dignidad que hubieran puesto en entredicho las carcajadas a las cuales su natural lo abocaba— presidía la fiesta. Yo, tembloroso, vi que su rostro se tornaba ceniciento, que abría la boca lenta y horrorizadamente en busca de aire, que su pierna derecha se contraía de modo convulso, que la muerte lo iba cubriendo con lentitud desesperante, que la turbamulta y el dolor y la asfixia le impedían concentrarse en el pensamiento de su Dios, que ya se iba y me dejaba, que ya era cadáver y un mero recuerdo, y, dando un grito que nadie oyó, vi alzarse ante mí todo el dolor de Israel.

¡Pueblo mío! ¡Primavera de mi carne y de mi espíritu! ¡Novia inmaculada ante el Altísimo! Tu sufrimiento testimonia contra el mundo, que no encontrará gracia en el Señor, cuando llegue la hora.

¿No oís el llanto que asciende del abismo? Llanto de los niños, de las mujeres y de los ancianos que, en Wevelinghoven, fueron inmolados por sus padres, por sus maridos, por sus nietos, a los que dirigían rabí Leví ben Semuel y rabí Selomo ha-Kohen —todos los cuales se dieron muerte a sí mismos una vez terminada la atroz degollina—, para que no se extraviaran en manos del enemigo turbulento. Llanto de rabí Ishaq ha Leví, que, torturado en Elenda y dado por muerto, se arrojó al Rin al recuperar los sentidos y ver cuál había sido la suerte de su pueblo. Llanto de rabí Ishaq, de Francia, quien cavó una fosa y, tras recitar la oración de los sacrificios, se cortó el cuello por pena de los suyos. Llanto del rabino Yom Tob y de sus compañeros, cuyas manos armadas con cuchillos no temblaron en York, el día del gran *sabbat*, cuando libraron de la vida y del horror a los más indefensos de sus hermanos —ciento cincuenta justos— congregados en la sinagoga.

¿Quién rescatará esta sangre? Yo denuncio ante los tribunales del cielo a los romanos que atormentaron con almohazas de hierro a rabí Aquiba; que hicieron arder en una detestable hoguera, con el libro de la Ley en la mano, a rabí Hanina ben Teradyon; que acuchillaron a rabí Yesebab, el escriba, y a rabí Huspit, el trujumán. Yo denuncio al rey de Persia, que en 4134 hizo descender al Seol a Mar Huna, jefe del destierro; y al español Sisebuto, de estirpe goda, que en 4376 forzó a la apostasía y privó de la vida a tantos. Yo denuncio al impío monje Rodolfo, cuya llegada a Colonia fue causa del martirio de rabí Simeon, descabezado cuando salía para Treves, y a quienes cortaron las orejas y los pulgares de las manos a Mina, la judía. Yo denuncio a los asesinos de Viena, de Spira, de Praga, de Worms, de Colonia —allí, el maestro Ishaq, el 5 del mes de Sivan, escupió sobre los ídolos antes de morir al filo de la espada—, de Kerpen, de Geldern, de Metz, de Ratisbona, de Barcelona, de Cervera, de Cuenca, de Tárrega, de Solsona, de Tarragona, de Segovia —donde los nobles castellanos arrastraron y despedazaron a don Meir, médico del rey don Enrique—, de Valencia. Y sobre todo, a Pedro el Ermitaño, falso asceta; y al abominable monje Vicente, de la secta de los dominicos, responsable de la extinción de ciento cincuenta mil santos; y a Fernando e Isabel, por quienes todos los ejércitos del Señor, los exilados de Jerusalén que había en España, salieron, como dice Josef ha-Kohen, «de aquella tierra maldita, en el mes quinto del año 5252, que es el 1492, y desde allí se dispersaron por los cuatro extremos de la tierra».

¡Ah! Como se lee en el *Emeq ha-Bakha,* la despreciable pareja recibió su merecido: «El Señor se mostró celoso por su pueblo y dio a estos dos reyes la recompensa según la obra de sus manos. La hija de ellos murió en Portugal; el hijo primogénito que tenía Fernando, murió de la peste, y no les quedó hijo varón que heredara el reino. La reina Isabel, la maldita, su mujer, padeció hastío de su vida y, devorada la mitad de su cuerpo por una llaga perniciosa y fija que se llama cáncer, murió. ¡El Señor es justo!»

¿Justo? Sí —sería blasfemo suponer lo contrario—; pero dueño y señor de su justicia, a la que sobrevuela. De aquí, el que sus decisiones escapen tan frecuentemente a nuestra comprensión, y el que, en nuestra rebelde ignorancia, podamos tomar por omisiones incomprensibles su silencio y su quietud vengadores. ¿Quién, por ejemplo, de no ser iluminado por su amor, hubiera dejado de considerar que, durante la trágica noche en que Baruch y Débora fueron confrontados de modo bestial con el crimen sin paliativos y con las potencias oscuras, Él abandonaba a aquella porción de su pueblo que había sentado sus reales, muchos años atrás, en Toledo? Por supuesto, no Baruch, ni tampoco —quizá— Débora, demasiado abotargados —él, por el horror; ella, por el miedo de ver perecer a quien amaba— para poder abrirse a los misterios del Eterno, según lo prueba la huida alocada de ambos —no se ocultaron: al galope, corrieron hacia la puerta por donde habían entrado en la ciudad del oprobio, y, encontrándola abierta, salieron como exhalaciones por ella, ante la inmovilidad estupefacta de los contados soldados que la guarnecían— y el hecho de que erraran a lo largo de toda la jornada que siguió a la noche tan funesta, sin pararse a comer, a beber o a reposar un trecho.

¿Qué hicieron luego? Quien me contó esta historia lo ignoraba, o yo lo olvidé ya. Quién sabe. Sólo puedo afirmaros que, meses después, ambos se encontraban en la ciudad de Sevilla —cabeza de un reino floreciente arrebatado de a poco por los cristianos a los ismaelitas—; pero no juntos: apenas descabalgaron en el interior del recinto amurallado, Jacob —a quien, por haber hablado Débora a través de sus labios, se tomó por un brujo o por un ser de costumbres nefandas— fue arrastrado a prisión, y Baruch tuvo que buscar refugio en la judería, único lugar donde podría eludir toda pesquisa.

El sol declinaba, desaparecía; ni desde lo más alto de la torre de la Giralda hubiera podido divisarse ya su rastro: el resplandor, rojizo como una riada de rubíes, que precediera a su ocultación definitiva. Llegaba la noche, y con ella, el aroma melancólico de los jazmines, que, florecidos en el crepúsculo, pronto trocarían sus galas blancas por el amarillo mortecino de la corrupción.

«Así, Jacob», musitó Baruch; «tan blanco desde que cubre su cuerpo con ropas de caballero y no expone sus manos y su cara a las inclemencias del tiempo, tan joven y tan frescamente perfumado por sus humores de adolescente, a quien», sollozó, «el rigor de sus jueces o el miedo intempestivo a lo desusado en uno de los sicarios que lo aherrojaron y que ahora lo guardan, cubrirá de inmediato, si el Señor no lo remedia, con el oro viejo y marchito que sigue a la agonía».

Se incorporó de la yacija en que estaba extendido —paja y trapos, tan sólo—, y dio unos pasos por la habitación.

«Esas campanas, ¿por qué doblan?»

Se acercó a la ventana, apoyó las manos en su alféizar, miró a través de la reja de hierro que lo separaba del patio: como ausente, pero crispado; presa —sin saberlo— del sutil e inestable encanto de la hora.

La brisa mecía la copa de la palmera que se alzaba en uno de los ángulos del cuadro perfecto, delimitado por columnas y arcos, que constituía el centro de la casa; la brisa, metamorfoseada de improviso en una ventolina pronto aplacada, hacía cimbrearse el grácil tronco del árbol, con crujidos armoniosos; la brisa, de nuevo renacida, cubría de temblores los rosados geranios, semiocultos por el garabato verdeoscuro de las hojas que desbordaban de las macetas. Un frescor casi musical iba ganando el patio, el corredor abierto que lo circundaba, las habitaciones que a él abrían sus ventanas.

Sonaron de nuevo las campanas. Unos pájaros, piando

levemente, acudieron volando desde la calle, y, silenciosos ya, buscaron refugio en un hueco existente bajo el alero del tejado. Y el azul marino del cielo pareció alejarse hacia mayores alturas; y sobre la ciudad adormecida pareció formarse una cúpula de cristal diáfano y refulgente a cuyo cobijo el tiempo se remansara, inmovilizándose hasta extinguirse.

Saltaron lágrimas de los ojos de Baruch, que dijo:

«Él, ahora, no verá nada en su celda umbría. O cuanto más, la sombra de un carcelero movida por la oscilación de una antorcha o de la taciturna e inquieta llama de un candil. Sólo oirá ayes de ignorados compañeros de infortunio, rodar de cadenas, suspiros o eructos de soldados. Pensará en mí y llorará. Y ese llanto será el único consuelo de su aflicción.»

Se retiró de la ventana. Cruzó con desgana la habitación solitaria. Se arrojó de nuevo sobre la cama. Cerró los ojos.

«Señor: yo soy poca cosa, casi no existo; me he desviado de la norma y no he cumplido con tu Ley. Por ello, clamo a ti, desde lo profundo de mi aflicción, no con seguridad y prepotencia, sino con desvalimiento y sentido de culpa, sabiendo de mi impiedad. Yo amaba, y amo, Señor; y aunque el hecho de amar no me libre de pecado, no dudo de que Tú, en donde todo amor —aun este mío, maldito— hunde sus raíces, me compadecerás, y por compadecerme —siento latir, muy triste, tu corazón junto al que me mantiene en vida—, prestarás oído a mis palabras. Que son éstas: ¡Sálvalo, Señor! ¡Sálvalo, y que yo perezca! Me comprendes, ¿verdad? Yo daría mi vida por él. Y no veas en esto voluntad de sacrificio, sino plenitud de ternura: no es una prueba de amor, sino el mismo amor, la entrega de la propia vida en rescate de la de quien se ama. ¡Tómame, pues! Y haz conmigo lo que quieras. ¡Pero presérvalo a él de todo daño!»

Lloraba como un niño pequeño.

«¿Te acuerdas, Señor, de las noches de mi infancia? Yo miraba tus estrellas, te presentía tras ellas, buscaba en los libros sagrados un reflejo de esa presencia tuya que yo adivinaba más allá de las lejanas constelaciones. Por esas noches tan puras, tan irrepetibles, en las que supe de ti como nunca más he sabido, ¡sálvalo!»

Abrió los ojos. Su vista se deslizó entre los barrotes de la ventana y acabó por posarse sobre el único fragmento del remoto cielo estrellado visible desde la cama.

«Esta noche tan triste es, Señor —porque te he recuperado, de algún modo—, como aquellas en que mi inocencia te acogía, como aquéllas en que Tú anidabas en mi seno. ¡Escúchame, pues, mi Dios, de la misma manera que me escuchaste entonces! ¡Atiende mi ruego! ¡Preserva su vida!»

De nuevo en pie, recorría a grandes zancadas, al uso de los locos, la dilatada estancia.

«Hazme señal de que me oíste.»

Aproximándose a la reja hasta encajar la cara entre las piezas de hierro que la constituían, alzó los ojos al cielo.

«¡Una estrella fugaz!», exclamó.

Estaba sobre el suelo, al que cubría un viejo tapiz. Extendido por completo. Con las piernas abiertas, la respiración dificultada por la presión a que era sometida la caja torácica, las palmas de las manos y una mejilla en contacto con la rugosa superficie de tejido que el roce de muchos pies deshilachara. Dio un gran grito:

«¡Quiero oír tu voz, Señor!»

Su mano derecha se cerró sobre sí, y con ella formando puño, golpeó contra el tapiz.

«¡Tu voz, tu voz!»

Durante unos segundos, fue sólo la espera de un sonido. Luego, levantó la cabeza, estupefacto. Pues había escuchado un rumor, y ese rumor se alzaba de las profundidades.

¿Sería posible?

Volvió a pegar la oreja sobre el tapiz y atendió salvajemente.

¡No cabía duda!

E, incorporándose de un brinco agilísimo, corrió hacia uno de los bordes del tapiz, y cogiendo éste por uno de sus picos, tiró de él, hasta poner al descubierto casi todo el revés de su trama, cayendo de rodillas al advertir —a pesar de lo escaso de la luz nocturna que entraba por la ventana— la existencia de una puerta en el suelo de la estancia.

¿A dónde conduciría aquella trampa?

Comenzó a temblar. Gruesas gotas de sudor perlaban su cara. Su respiración se volvió entrecortada.

«No puedo desmayarme ahora», susurró.

Y el oírse le dio ánimos: se levantó y salió de la habitación, a la que regresó momentos después con un farol encendido. Que depositó en el suelo. Junto a la desgastada superficie de madera, provista de una gruesa anilla, que aparecía encajada entre las baldosas.

Tembloroso aún, se acercó a la ventana y miró, a su través, más allá del alero del patio.

«Sé conmigo, Señor.»

Volvió a la trampa y tiró de la anilla. Infructuosamente: la puerta, no utilizada durante años, se resistía a ser abierta.

«¡Pero lo lograré!»

Después de lamerse maquinalmente los dedos lastimados por el hierro, se acuclilló, tensó todos sus músculos, hizo una honda inspiración, introdujo los dedos índice y anular de las dos manos en la argolla, se concentró y haló con todas sus fuerzas. ¡Más! ¡Más!

Cayó al suelo, derribado: por la abertura pestilente que había puesto al descubierto, una masa explosiva de aire pútrido, cargado de miasmas, salía con celeridad violenta, avasalladora.

Cuando Baruch se recuperó de su aturdimiento, la corriente de aire establecida entre la ventana y el subterráneo había perdido su impetuosidad primera y su carga de olores mefíticos. ¿Habría oído alguien el estallido del aire viciado, el ruido de su caída al ser derribado por éste? No, no lo parecía, dado el silencio y la calma ambientes.

El muchacho, atento a cualquier posible sonido procedente de las habitaciones vecinas, se alzó sobre sus piernas, y una vez de pie, miró a su alrededor.

«Qué suerte», dijo.

Pues el farol, aunque caído, conservaba viva su llama.

Una escalera de piedra —comprobó a la luz de aquélla— se perdía en la oscuridad del subterráneo. Una escalera de grandes escalones sucios, húmedos, por los que —tras vacilar visiblemente— se aventuró con miedo. Una escalera formada por dos tramos en ángulo recto —su vacilación creció al alcanzar el rellano—, de desigual longitud: el primero, notablemente más corto. Una escalera que terminaba en la embocadura de un largo pasillo, apenas más ancho que ella, sobre cuyo suelo enfangado resbalaron los pies de Baruch en cuanto que éste comenzó a recorrerlo.

Al intentar reincorporarse, el muchacho apoyó una mano en la pared, que retiró vivamente, debido a que su superficie, viscosa, era aún más resbaladiza que el fango del piso. Sólo pudo apelar, pues, tras este intento fallido, a su sentido del equilibrio y a la coordinación del juego de sus músculos, para recuperar la posición vertical, lo que consiguió con esfuerzo.

Comenzó a caminar. ¡Oh, cuán lentamente! Y es que el ruido de succión que provocaban sus pies al desprenderse del fango, y el chapoteo a que daban lugar al afirmarse luego, resonaban en sus oídos fragorosamente, y le hacían temer que alertaran —si la luz de su farol no lo había hecho ya— a los aborrecibles seres con que su imaginación, hiperestesiada por el pavor, poblaba aquellos pasmosos lugares.

A la vuelta de un recodo, pocos metros más allá de éste, el corredor desembocaba en una caverna sin límites visibles, de una de cuyas paredes, próxima al lugar donde Baruch permanecía con la admirativa boca abierta, brotaba a borbotones un crecido caudal de agua que, una vez alcanzado el suelo —¿era éste, el de su caída, el rumor que hizo descubrir al muchacho la trampa gracias a la cual pudo llegar a la caverna?—, formaba un arroyo que, aprovechando los desniveles del piso, corría, serpenteando, hacia el punto donde la oscuridad parecía más densa.

Habló Baruch en voz baja, para sí:

«Yo no oí», dijo —y sus cabellos se erizaron— «el sonido de esta agua al bajar las escaleras, ni al recorrer el pasillo».

Se pasó la mano libre por la cara —con la otra, seguía manteniendo en alto el farol— y respiró hondamente. Y habiendo comprobado —al dar dos o tres pasos hacia adelante, sin advertir que lo hacía— que el suelo de la caverna era sólido, no resbaladizo, comenzó a andar en dirección a lo más oscuro, siguiendo el sinuoso trazado del arroyo.

«Y mi cuerpo reposa en seguridad, pues Tú no abandonarás mi ser en el abismo, Tú no dejarás a tu fiel ver la nada; Tú me harás conocer el camino de la vida, la plenitud de las alegrías que se disfrutan en tu presencia, las delicias sin fin de que se goza a tu diestra.»

Se sobresaltó, saliendo del estado de estupefacción admirativa y acongojada en que había contemplado los pasadizos y cavernas menores con que se fuera encontrando a lo largo de su penoso recorrido del subterráneo, al advertir —el corazón se le contrajo— que, sin caer en la cuenta de ello, estaba recitando las oraciones leídas durante los *chive'a* que siguieron al entierro de su abuelo —¡hacía tantos años!— y al entierro de su abuela, cuyo cadáver de sucio marfil evocó fugazmente con un estremecimiento.

Detenido ante la embocadura de un corredor que, por torcer pocos metros más allá de su entrada —e, indudablemente, por alguna otra causa de localización esquiva en tan inhabituales circunstancias—, ofrecía una resistencia superior a ser penetrada por la luz del farol, Baruch dejó éste sobre el suelo, y, cruzándose los brazos sobre el pecho en un vano intento de controlar el temblor que lo agitaba, siguió, como a su pesar, con la recitación interrumpida:

«Y destruirá a la muerte para siempre, y enjugará el

Señor las lágrimas de todos los rostros, y alejará el oprobio de su pueblo. Lo dice el Señor.»

Estas últimas palabras lo confortaron.

El pasillo resultó ser insufriblemente largo: al recodo primero siguió otro, y luego, otro, y otro, y el tramo último ya comenzaba a parecerle inacabable al muchacho —a quien la desaparición gradual de la humedad confortaba— cuando, de modo imprevisible, sus paredes se abrieron, configurando un habitáculo de medianas dimensiones, bajo de techo, de atmósfera enrarecida.

«¡Qué olor tan extraño!», musitó Baruch, pasando la palma de su mano diestra por la superficie rugosa de una de las paredes. «¡Y qué raros signos éstos», pero, ¿lo eran?, «tan desordenadamente dispuestos!»

Había allí, sobre el piso de tierra aplanada, a todo lo largo de una de las paredes de aquella insólita sala pentagonal —¿pentagonal?; sí, siempre que se contara como un lado el hueco de la entrada—, multitud de objetos dispares, cuyas formas enmascaraba el polvo que los cubría: polvo de siglos, endurecido y negro, maloliente. El muchacho paseó sobre ellos la luz de su farol una vez, y luego otra, para ver si se repetía el centelleo que creyera entrever durante la primera, y éste —retrocedió de nuevo, involuntariamente, al verlo— se repitió. Era una espada lo que así fulgía. Una espada larga y ancha, pesada —a duras penas lograba sostenerla en posición horizontal; y ello, recurriendo a sus dos manos, y a toda su fuerza—, de doble filo, cuya guarnición se retorcía en intrincados arabescos. Levantó su punta hacia el techo, tras hacer acopio de energías, pero, alarmado por el cabrilleo que recorrió su hoja al moverla, de inmediato la dejó caer contra el suelo.

«Parece viva», exclamó. Y soltó su empuñadura.

Las tres restantes paredes no eran lisas como aquélla ante la cual se alineaban los objetos sin nombre, ni estaban cubiertas por signos; irregulares, con entrantes y salientes, aparecían bufadas de rara manera, presentando bultos informes, vagamente antropomórficos, que —Baruch lo hubiera jurado— repelían la luz.

«¡Qué raro!», dijo el muchacho, aproximando el farol a la zona a que la oscuridad pareció refluir durante su primera inspección. «¡Qué raro!»

Durante los segundos que siguieron, el cerrado cubículo fue un hervidero de desaforados gritos: ¡enloquecido por sus propias voces, Baruch desorbitaba sus ojos en la contemplación pánica del hombre de barro que la llama del farol había desprendido de la amalgama de formas esquivas que constituían la pared ante la cual, contraído por el horror, se encontraba!

Cayó al suelo, gimiendo. Una punzada en el corazón le hizo cerrar los ojos. Luego, la conciencia lo abandonó.

Al recobrar el sentido, la certeza de que la figura permanecía en su posición primera, de que no había hecho movimiento alguno perceptible durante su desmayo, lo tranquilizó. Levantándose sin apartar la vista de ella, echó mano a la espada y, arrastrándola consigo, se aproximó cautelosamente al cuerpo gigantesco, nimbado de sombras, y osó palpar la ropa que lo malcubría.

El hombre —era un hombre, o un simulacro de tal, o un cadáver de varón— no reaccionó al ser tocado. Con los párpados caídos, cubierto de polvo y de tierra, de pie sobre la base de una hornacina de poca profundidad, no daba signos de vida, pero tampoco mostraba los estigmas de la muerte. Parecía...

«¡Un *golem*!», gritó Baruch.

La alegría le transfiguró el semblante.

«¡Que rescatará a Jacob!»

Tiró al suelo la espada, por inútil.

«¡Ah, yo sabré animarte!»

Y, enfebrecido, tiró de la figura hacia sí, sin conseguir moverla.

No habían pasado tres horas, sin embargo, cuando Baruch, tembloroso de fatiga, subía de nuevo la escalera que daba acceso a su habitación, llevando consigo el cuerpo descubierto y la espada resplandeciente. El trayecto de regreso, penosísimo, fue vencido a fuerza de ingenio y de angustia —transportó su extraña carga sobre una armazón de tablas, de la que tirara con una cadena encontrada junto a éstas—; y ahora, por fin, una vez sobre el jergón la figura que él creía de barro, el muchacho pudo suspirar satisfecho, pues la primera fase de su tarea estaba concluida.

Con una sonrisa casi tierna en los labios, limpió, sirviéndose de un trapo, el rostro del inquietante ser, cuya expresión malvada lo turbó. ¡Eran tan duras las líneas —consideradas en términos generales— de aquella cara, y tan desdeñosas y crueles —en concreto— las de los finos labios contraídos, que no pudo evitar, al contemplarlas, que un escalofrío recorriera su cuerpo!

«El Santo (bendito sea) nos proteja», dijo. «Pero no a nuestros enemigos. Tú», prosiguió, «serás la plaga que acabará con ellos».

Y en diciendo esto, abandonó la estancia, a la que volvió pronto con un trozo de pergamino y recado de escribir.

La noche entraba por la ventana, seguida por su habitual cortejo: murmullo de hojas, aroma de flores, resplandor mortecino de las distantes estrellas. Baruch, sin prestar atención a todo aquello que de manera sutil solicitaba sus sentidos, se sentó sobre el suelo, con las piernas cruzadas, próximo a la cama donde yacía el hombre inmóvil —entre ésta y la espada, al alcance de su mano— y comenzó a escribir —meditándolo mucho antes de añadir un nuevo signo— en el pergamino, que apoyaba sobre una de sus rodillas: con dedos temblones, fue estableciendo todas las permutaciones posibles de las cuatro letras que forman el nombre Y.H.W.H., y acabada su tarea, sopló sobre la tinta, a fin de acelerar su secado.

«¿Habré procedido del modo correcto?», masculló, levantándose.

Sonaron pasos delante de la puerta de la habitación. Suaves, vacilantes. Amedrentadores. Tanto, como la ausencia de todo sonido que se instauró tras ellos.

«¿Quién es?», preguntó Baruch —que se había apresurado a empuñar la espada— con voz estridente.

No recibió respuesta.

«¿Hay alguien ahí?»

De nuevo, los pasos. Más furtivos ahora. Que se alejaban.

«Pase quien sea», dijo el muchacho. Pero casi entre dientes. Y no abrió la puerta para conocer la identidad de quien, turbándolo con su presencia invisible, se había acercado —¿para qué?— a ella.

Le latían las sienes al acercarse al cuerpo extendido sobre la cama. Sudoroso y frío, la mano en que llevaba el trozo de pergamino, temblaba; la otra, en cambio —la siniestra—, asía con firmeza la espada por su filosa hoja, hiriéndose —sin advertirlo— con ella. Miró lo que quizás era un hombre, una vez más. Con mayor repugnancia aún que en las ocasiones precedentes.

Dijo: «Dios me proteja.» Y posó el pergamino con las inscripciones sobre la frente del rígido ser enigmático.

Éste no se movió.

A la luz insuficiente del farol, posado sobre el suelo, la crispación perpleja de sus rasgos confirió al rostro de Baruch el aspecto de una máscara.

¿En qué habría fallado?

«¡Ah! No en la frente, sino en la boca. ¡Bajo la lengua!»

Soltó la espada, y, con las dos manos, se esforzó para separar los labios resecos, primero, y los dientes podridos, después, y para levantar la lengua, por último, del individuo inquietante. ¡Que esta vez sí se movió!

¡Ay! Con la boca manchada de sangre —sangre de la mano de Baruch herida por la hoja de la espada—, terrorífico en el esplendor maldito de la vida recobrada, el hombre de rostro terroso abrió los párpados, puso al descubierto sus ojos —velados por la telaraña espesa de las cataratas—, estertoró al restituir por la nariz el aire —tras tanto tiempo, al fin recuperado—, balanceó la cabeza hasta que su mirada confluyó con la de Baruch —quien no pudo evitar que sus ojos se cerraran—, contrajo las manos sin uñas sobre la manta que se extendía bajo su cuerpo, movió torpemente una pierna, dejó caer el pie correspondiente hasta el suelo, y, sin dejar de mirar a Baruch —que, instintivamente, recogió y empuñó la espada—, se alzó del lecho, en el despliegue abrumador de su nunca vista estatura.

Balbuceó Baruch: «Vengador de Sion. Por la fuerza del secreto Nombre. Ve y mata. Libera a los míos. Rescata a Jacob.»

Temblaba de la cabeza a los pies, presa de una excitación mercurial.

«¡Ven conmigo! ¡Ven conmigo! Yo te diré lo que debes hacer.»

Y abriendo la puerta, salió de la habitación seguido por el hombre gigantesco, y con él se alejó, tanteando en la oscuridad cuando la luz del farol, que no había llevado consigo, dejó de iluminarlos; murmurando y haciendo tintinear tras de sí la espada que arrastraba.

¿Conseguiría Baruch sus propósitos?

¡Ah, que el monstruo salga de la judería! ¡Que libere a Jacob! ¡Que siembre la desesperación y el horror entre los cristianos!

A su regreso —después de una ausencia más breve de lo previsible—, Baruch llevaba consigo, de la mano, a la alegría.

«Te doy gracias, Señor», bisbiseó cara al suelo, extendido por completo sobre el piso, «porque me has prestado oídos, porque me has marcado con el sello de tu misericordia, porque me has iluminado con el fulgor de tu fidelidad. Te doy gracias, Señor, porque por mí obraste maravillas...»

Se interrumpió, alzando la cabeza —«¡Dios mío!»—, y, a gatas, se acercó a aquello que, entrevisto con el rabillo del ojo mientras rezaba, había ahuyentado —su estupefacción crecía a medida que menguaba la distancia que lo separaba del objeto de su inquietud— las palabras de su boca.

«¿Cómo es posible?»

Lo había recogido del suelo y lo contemplaba ahora sobre la palma abierta de su mano, yerta. No, no cabía duda: ¡era —aunque manchado de sangre, aunque casi irreconocible por haber sido mordido con saña— el trozo de pergamino en el que estableciera las combinaciones posibles con las cuatro letras del Nombre secreto, el trozo de pergamino que introdujera debajo de la lengua del supuesto *golem*!

«Entonces...»

Afuera, tras la ventana, la noche. Indiferente.

«¡Señor, Señor! ¿Quién era, pues?»

Corrió hacia la espada.

«Y si no ha sido el Nombre, ¿qué, así, le devolvió la vida, y con ella, el movimiento?»

Su mano se crispó sobre el puño del arma.

«¿Mi sangre? ¿La sangre de mi mano cortada, acaso?»

Dejó caer el trozo de pergamino, que se balanceó en el aire, planeando, y, cuando se hubo depositado en el suelo, lo alejó de sí, con el pie. Estaba perplejo —las cejas, enarcadas; la frente, con arrugas—, a las puertas de la ira y del pánico, sin saber, emocionalmente, a qué carta quedar.

Musitó: «Tengo que buscar consejo. Ya.» Y, abrazado a la espada, abandonó la habitación.

La entrada de Baruch en la sala donde se hallaban congregados todos los habitantes de la casa y visitantes cuya intempestiva presencia a tan avanzada hora hubiera sorprendido al muchacho de encontrarse éste en plena posesión de sí, no fue advertida: el tumulto de las voces inquietas, la agitación de los cuerpos, la semioscuridad reinante, lo impidieron.

«¿Qué ocurre?», preguntó.

De los relatos entrecortados y contradictorios que se sucedían, de las exclamaciones horrorizadas que los puntuaban, era factible —a falta de respuesta directa a la pregunta— deducir una serie de evidencias, conmocionadoras para el muchacho: que el monstruo se encontraba en la judería; que el monstruo había dado muerte ya a dos hombres, cuyos cuerpos fueron encontrados, vacíos de sangre, en una calle; que el monstruo se hallaba ahora en la casa de un notable de la comunidad, cuya suerte, así como la de los suyos, se ignoraba.

«Soy yo el responsable de todas esas muertes», musitó. Y luego, en voz alta: «¡Judíos...!»

Pero su grito no fue oído, neutralizado, dominado por otro, más grande, que sí —y justificadamente, pues aparecía investido por un máximo de desesperación— logró concitar el interés de la totalidad de los presentes. El grito de un hombre joven que, demudado, con el cabello revuelto y las ropas en desorden, acababa de irrumpir en la estancia.

«¡La muerte está entre nosotros, hermanos!», dijo.

Como un remolino, la asamblea de los presentes se congregó a su alrededor.

«Uno de los nuestros, un muchacho forastero, acaba de ser descabezado en la cárcel, sin juicio ni condena.»

Baruch, a fuerza de codazos, se abrió paso hasta quien hablaba.

«Un carcelero borracho lo alejó para siempre de los vivos. Con un cuchillo de carnicero. Sin enternecerse por su llanto. Sin atender ni a sus ruegos ni a sus súplicas. Bestialmente. El que lo vio, me dijo que la víctima sollozaba, que el verdugo reía, que el cuchillo se demoró largo rato en el interior del cuello musculoso, que la sangre silbaba al manar a borbotones, que el cuerpo del degollado se agitaba en contracciones mecánicas, que el cuerpo del asesino estaba tenso como un miembro en erección, que el muchacho agonizante expiró tras un largo aullido en el que se mezclaban las voces de un hombre y de una mujer...»

La dispersión fue fulminante: al oír la voz de Débora, que gritaba por boca de Baruch, todos huyeron. Nadie se detuvo a contemplar cómo el muchacho, poseído por aquella a la que quería, empuñaba la espada, la blandía sobre su cabeza, y, vociferando, corría hacia la casa donde el monstruo, por él arrancado a las tinieblas, instaurara la abominación.

¡Triste Débora! Qué dura debió ser para ella la humillación, la imborrable vergüenza de verse reflejada, ante Baruch, en el espejo grotesco del monstruo asesino: un cuerpo poseído por no se sabe qué, y abocado ineluctablemente por su inestable e ignota naturaleza al crimen. Y qué grande la ira a que la empujaba el tortuoso engaño de que el ser de la tumba hiciera objeto al muchacho: sofrenó sus impulsos sanguinarios en su presencia, quizá por miedo a la espada resplandeciente que fortificaba el brazo del joven; fingió aceptar sus designios y hacer suya la misión salvadora que le había sido asignada, para luego, ya solo, entregarse, con un gorjeo rijoso, a sus apetitos más íntimos, de sangre y de muerte. Y qué incontenible la indignación que la transfigurara en un ángel vengador del pueblo santo: aquel asesino de ultratumba constituía la encarnación misma del enemigo de mil rostros que desde hace milenios procura la perdición de Israel, y que hoy ruge tras la máscara de la caridad cristiana.

¡Errada Débora! Creyó que el sexo era tan sólo un accidente carnal —se equivocaba—, y que, en consecuencia, podría alcanzar esa fusión con el amado, en la que ella veía la actualización plena de las virtualidades del amor, aquí, donde el miedo nos aleja siempre de nuestra esencia, mediante el simple recurso de un acercamiento extremo: la habitación simultánea por ella y por él de un mismo cuerpo. ¡Ah! ¿Cómo no se paró a considerar su pasado de *dibbuk*? ¿Acaso pensó que la fusión con Jacob no se había producido porque ella amaba a otro, y que, por tanto, hubiera estado en su mano lograrla? ¿O, por el contrario, sabía lo que le esperaba al poseer el cuerpo de Baruch, y no buscó en éste sino un último refugio, asustada hasta el límite porque la muerte de nuevo la rondaba? Era la suya un alma de mujer, y lo sería por siempre, aunque no sólo.

Oíd ahora la voz de Moisés ben Maimon, reverenciado maestro, que dice —porque está escrito que el hombre exclamó: «Esto sí que es ya hueso de mis huesos y carne de mi carne»— que Adán y Eva fueron creados juntos, espalda contra espalda, y que sólo luego fueron separados, con lo que advino la pérdida de su gozosa plenitud. Y oíd también las voces de Filón, el alejandrino, y de Orígenes, cauto y pío ante el Señor, a cuyo conocimiento me condujeron los escritores de un sabio ilustre, Leon Ebreo, retoño glorioso de los santos expulsados de España que floreció en la tierra donde transcurriera mi madurez: como los maestros del Talmud, uno y otro advirtieron que en la Tora se narra por dos veces la creación del hombre, y que las dos narraciones difieren, deduciendo del estudio y de la confrontación de ambas que el hombre primero y originario reunía en sí los dos sexos —«y creó el Señor al hombre a imagen suya, a imagen del Señor lo creó, y lo creó macho y hembra»—; que la división en hombre y mujer pertenece, por tanto, a un estadio posterior y más bajo de la Creación; y que cuando lleguen los tiempos del indecible esplendor, el hombre, escindido y desplegado hasta entonces, se replegará en sí, recuperando la asombrosa plenitud perdida, eco y reflejo de la del Altísimo, cuyo nombre bendicen los ángeles de las alturas.

¡Ay, esos ángeles se velan ahora el rostro, porque la historia de Baruch y Débora corre ya hacia su majestuoso acabamiento! Seguid a la muchacha, en el espejo embrumado de mi memoria, de Sevilla a Granada —un itinerario del que nada sé, pero del que me invento un recuerdo de galopadas sin freno—, a caballo y en el cuerpo del hombre amado; seguidla hasta la capital del reino nazarí, donde fue apresada, y luego, en su peregrinación de celda en celda, interrogada por sus captores, y asombrados de su silencio: sólo hablará ante el señor de los creyentes, que se toca con el turbante verde; seguidla, en fin, mientras camina en dirección al rojo palacio de éste, donde será recibida y escuchada con el interés y el estupor a que sus palabras y su porte la hacen acreedora; y prestad una atención sin desfallecimientos a lo que dice, a lo que hace, enigmática en su melancolía.

Dijo el rey: «Quitadle esas cadenas.» Y, apartando la vista del muchacho desnudo, apoyó el mentón en la palma de su mano derecha, y, acodado en el repecho de la ventana, se sumió en la contemplación de las remotas montañas, encaperuzadas de nieve, y, sobre ellas, del cielo nocturno, de humeante carbón, no saliendo de su letargo admirativo hasta que el ruido de las cadenas al caer al suelo, y, después, al ser arrastradas sobre éste —con un rumor que iba apagando la distancia— por el guardia acaparazonado de oro que librara de la presión de los grilletes las muñecas y los tobillos de Baruch, rasgó el silencio en cuyo seno la armonía celeste del paisaje había podido convertirse en música: esa música que no es sino el llanto de Iblis por el esplendor caduco del mundo perecedero, y que motivaba las lágrimas que, por un momento, enturbiaron la visión del monarca.

Enjugándoselas, éste se volvió entonces hacia los presentes, y su mirada, desdeñosa para el grupo formado por los próceres de su séquito —sobre el que revoloteó apenas—, se tornó ávida al alcanzar a Baruch, cuyo cuerpo comenzó a recorrer de arriba abajo, partiendo de los pies.

«El pájaro vuela», musitó, «por las alturas, y su sombra se apresura sobre la tierra —¡muslos admirables!— huyendo como un pájaro; el necio intenta cazar la sombra, corriendo tras ella —¡qué redondo y diminuto el ombligo, sobre el vientre terso!—, sin saber que es el reflejo del pájaro que va por los aires, pues no conoce el origen de la sombra». Los ojos del monarca y del muchacho se encontraron entonces, y el primero añadió: «Todas las cosas son perecederas, salvo el rostro de Dios.»

La luz de la luna, entrando por la ventana de afiligranadas yeserías y por el patio —en cuyo estanque central se repetía, temblorosa cuando el viento rizaba la superficie del agua, la torre cuadrada y desnuda que se alzaba al fondo del abierto y admirable recinto rectangular—, bastaba para iluminarlos. Luz diamantina, casta y gélida, al resbalar por los cuerpos de los allí reunidos, los deformaba con sombras pétreas, rehuyendo, como con temores, traspasar los límites marcados por las columnillas ligeras y por los arcos que delimitaban la zona donde el prisionero, los criados, los altos señores de la corte y el rey se observaban unos a otros en silencio.

«¿Crees tú en lo que dice este muchacho?»

El hombre que tenía mando sobre todas las tropas del reino, se separó —dos pasos adelante— de sus compañeros, con susurro de sedas, de armas blancas, de pedrerías.

«No creo, señor», dijo. «Es imposible de todo punto que pueda producirse un movimiento de tropas tan numerosas como para poner en peligro nuestra ciudad —y con un contingente de fuerzas más reducido, nadie se atrevería a atacarnos— sin que los destacamentos que patrullan por la frontera, los centinelas que vigilan en los castillos y los soldados que guardan los pueblos populosos den la voz de alarma. Yo pienso, por ello, que en las palabras del prisionero hay engaño; que, incapaces de alterar con la violencia la paz de tus posesiones, los cristianos se valen de la insidia a fin de remover los ánimos de tu pueblo; y que el portavoz de la mentira es ese hombre, que tiembla de miedo ante ti.»

«¿De miedo?, ¿de frío? Que lo diga él. ¿Por qué te estremeces?»

Se alzó la voz de Débora: «He dicho la verdad», sostuvo. Y el contraste entre el porte viril de quien hablara, y la suavidad femenina con que lo hizo, inquietó a aquellos de los presentes que aún no habían oído hablar al muchacho.

«¿Seguirás sosteniendo que no cabe un ataque por sorpresa si te recuerdo que hace muchos años que, confiado en el horror que inspira tu nombre a nuestros enemigos, dejaste de inspeccionar las defensas del reino?»

«Yo, señor...»

«¿Conservarás tu convicción acerca de la invulnerabilidad de nuestros dispositivos de alarma frente a los cristianos si traigo a tu memoria el hecho de que, aupado en el justo orgullo por tus victorias de antaño, prestas más atención a los sueños de conquista en ultramar que a la fortificación de las posiciones que defienden mis tierras? Reconócelo: todo es factible, siempre. Aun la infiltración de fuerzas hostiles hasta el corazón de la ciudad que protegen esas murallas.»

«¡Pero esa infiltración causaría nuestra ruina! El grueso de la guarnición de Granada se encuentra desde hace dos meses en la costa.»

«Dices bien. Es imposible. ¿O no? Veamos: ¿qué creéis vosotros, que sois mis consejeros? ¡Ah!, el respeto os hace enmudecer. ¿O cortó vuestra lengua el miedo? Pero, ¿miedo a contradecirme a mí, que voy del sí al no, que estoy perplejo? Señores, amigos: espero que vuestro silencio tenga su origen en la confusión que a mí me domina; espero, también, que un sueño reparador la aleje de vosotros. Y bien. ¿Qué esperáis? Es obvio que ya podéis retiraros. Sin el muchacho, por supuesto. Lo interrogaré —no temáis: desnudo, como está, no puede ponerme en peligro—, lo acosaré a preguntas hasta que pueda formarme una opinión ajena a cualquier incertidumbre. Pues debo velar por la seguridad de vosotros, y de los humildes de mi reino. Adiós.»

Quedaron solos el rey y su prisionero: sentado sobre el banco de azulejos —verdes, azules, blancos— que corría a todo lo largo del muro en el que se abría la ventana, uno; de pie y estremecido por temblores, el otro.

«Coge esa capa y cúbrete.» Se aproximó al muchacho, que, entumecido, no acertaba a colocarse correctamente la vestidura. «¡Te castañetean los dientes! Ven.» Y lo atrajo hacia sí, abrazándolo para hacerle entrar en calor. «¿Te sientes ya bien?» Y como el otro asintiera: «Anda, asómate ahí, mira por la ventana. ¿No crees que para describir cumplidamente este paisaje», estaban los dos de bruces sobre el alféizar, «haría falta no menos que el ángel portero encontrado por el Profeta en el sexto cielo: ese ángel provisto de setenta mil alas y de setenta mil cabezas, y en cada cara, de setenta mil lenguas, cada una de ellas alabando a Dios en setenta mil idiomas? Fíjate en el jardín sin pájaros, más allá del puente. ¿Lo oyes? Bajo el viento de otoño, cada una de sus hojas —duermen los árboles, porque se aproxima el invierno; y los macizos florales, y los fantasmales arriates— canta. Y esas nubes... ¿La ves?» Rió. «Pues no son tales, sino las cimas nevadas de muy altas montañas. ¡Y también, unas espléndidas, inexpugnables murallas naturales! Ellas protegen a mi pueblo, que duerme ahí, al término de esta escarpada ladera florecida de matorrales, y ahí sueña, en las casas de blancas terrazas. ¡Oh, bella y triste Granada! Dime: ¿escuchas el susurro monótono de sus dos ríos? Dime: ¿no adviertes cómo se adelgaza el aire entre las torres cubiertas de quejumbrosa hiedra?» Miró de hito en hito a Baruch, que había vuelto la cara hacia él, intrigado por su súbito silencio. «¿Y todo esto ha de caer en manos de la chusma cristiana?»

Caminaban ahora a lo largo del estanque del patio: el monarca, frágil y enturbanado, con modestas babuchas, cubierto tan sólo por una túnica de blanca lana; el muchacho, esbelto, envuelto de los hombros a los pies descalzos por la capa que aquél le dejara.

Dijo el rey:

«Ni por un momento he dudado de la veracidad de la información que viniste a transmitirnos. Sí, yo creo que los hebreos de Sevilla, oprimidos cada día más por sus nuevos señores, te hablaron, o por lo menos, lo hicieron ante ti, del ataque que se prepara contra mi reino, y de la preocupación que les produce el que, de triunfar dicho ataque y quedar, en consecuencia, los cristianos como únicos poseedores de estas tierras, abandonaran su fingida tolerancia de ahora, dejaran de contemporizar y buscaran la unidad de creencias y de leyes por la fuerza de las armas. Tampoco dudo de que, al huir de la ciudad a uña de caballo en busca de la protección de nuestra justicia y de nuestras murallas, vislumbraras, en la campiña que rodea a Sevilla, y en las poblaciones que se levantan entre ésta y mi reino, atravesadas por ti en tu huida, los preparativos últimos del ataque inminente. ¿Y cómo no creer que el odio hacia los que mataron a ese amigo del que hablas, y el miedo a que tu llegada aquí despertara sospechas, te movió a confiarnos el secreto de sus criminales proyectos? Sábelo: mi duda era fingida.» Se detuvo ante una puerta de grandes dimensiones, chapada de metal, cuyas hojas se abrieron a la presión de sus manos, dejándolos pasar, y luego se cerraron tras ellos, empujadas por guardias que se embozaban con el manto de la oscuridad y el silencio. «¿Te sorprenden mis palabras? Compréndelo: no es bueno que los que rodean al monarca sepan lo que éste piensa. Yo me debo a mí mismo el ser imprevisible para los otros. Nadie debe estar en disposición de anticipar el curso de mi pensamiento, de prever las etapas que éste recorrerá. Por ello, resulta conveniente que los servidores, aun los más altos, consideren indeciso, y por lo tanto imprevisible, a su señor, siempre, desde luego, que tengan la certeza de que la postergada decisión atenderá ineluctablemente a proteger y a potenciar los intereses del grupo de que ellos y el que los manda forman parte: considerarán un mal menor tener que retrasar la realización de sus ambiciones personales en provecho del afianzamiento inmediato de sus privilegios comunitarios.» Iban caminando por el pasillo de luz que el resplandor lunar trazaba, entrando por un balcón lejano, sobre las anchas losas; el rey, al hablar, se enardecía, y sus gestos se tornaban cada vez más ampulosos. «Hay que crear inseguridad en los gobernados que detentan algún tipo de poder —todo poder se detenta, excepto el más alto—, y a ser posible, sentimientos de culpa; mejor si indeterminados. Y esto, porque el poder que a mí me corresponde, no descansa, en último término, sino sobre el asentimiento tácito de los otros, y hay que impedir que ellos caigan en la cuenta. Afortunadamente para mí, y para quienes como yo rigen reinos, no resulta fácil que los gobernados —y menos, los mayormente poderosos— comprendan que son tan frágiles las bases sobre las que se asienta la realeza: los hombres tienden a considerar sancionado por la ley y la justicia, y aún más, necesario, lo que existe de hecho. Por otra parte, es tan antinatural que alguien tenga poder sobre otro, que nadie cree, en conciencia, merecer el inusitado honor de disponer de mando, siendo ésta la razón de que se busque en las costumbres y en la delegación de la autoridad por parte de alguien —que debe necesariamente estar más allá de toda puesta en entredicho— la justificación de ese honor.» Habían penetrado en un jardín diminuto, delimitado por cipreses, que atravesaron sin ruido. Subieron luego unos escalones y se sumieron en la oscuridad de un pabellón sin ventanas, guiado Baruch por la mano del monarca, y éste, por su conocimiento del lugar. «¿Te explicas ahora las razones de mi comportamiento con el jefe de mis tropas y con sus compañeros? Ante una situación de peligro —y yo dejé abierta la posibilidad de que tal fuera nuestra actual coyuntura— el soberano no puede manifestar sentimiento de alarma alguno, a fin de que los otros lo piensen en posesión de recursos ignorados por los más. Lo que resulta fácil, pues todos desean ser tranquilizados, y que la responsabilidad última recaiga sobre quien no es uno.» Se detuvo de improviso, y, atrayendo al mucahcho hacia sí, le preguntó: «¿Te extraña el que te hable como lo vengo haciendo? No hay razón para ello. Piensa que, por mi condición de rey, no puedo confiarme a quienes me sirven. Y piensa, además —y te lo digo sin énfasis, porque intuyo que no lo ignoras—, que cualquiera puede leer en tus ojos que ya la muerte—, no sé cómo —te habita, y que eres, en consecuencia, el recipiendario perfecto de una confidencia regia.» Su mano apretaba con fuerza el antebrazo de Baruch, quien lo empujó suavemente para que continuara andando. «¡En nombre de Dios! Hay que procurar que los altos señores estén perpetuamente inquietos, pero no demasiado; que sepan que pueden perder lo que tienen, pero también, que ello no ocurrirá si permenacen quietos. Hay que conseguir que los jerarcas del reino se enfrenten entre sí, o cuanto menos, que teman las posibles alianzas entre sus iguales de las que estarían excluidos, y por encima de todo, el pacto que uniría a uno o varios de ellos, en su contra, con la fuente de donde procede el poder: conmigo. Tengo, en fin, que mostrarme distinto de ellos —ésta es la razón última, que no está en pugna con mis gustos personales, de que, rehuyendo el lujo y la pompa en la cual ellos se gozan, yo haya hecho mía la túnica blanca y humilde de los sufíes—. Pero entiéndeme bien: distinto, aunque no con exceso; distinto, mas de una forma sancionada por la costumbre. Si me mostrara completamente diferente de ellos, ininteligiblemente distinto, el odio latente que despierta el sumo poder, desarrollándose a la luz de sus conciencias, adoptaría la faz inexcrutable del desprecio. Por eso les oculto mi pasión inmoderada por esto.» Y, abriendo de par en par una puerta pequeña, oculta hasta entonces por las tinieblas que reinaban en el rincón de la estancia donde unos momentos antes se habían detenido, el rey invitó a Baruch a adentrarse en la inmensa sala, compartimentada por arcos y columnas e iluminada de modo extraño, que se extendía ante ellos.

Con una exclamación ahogada, el muchacho, protegiéndose la cabeza con un brazo y haciendo un quiebro con la cintura, esquivó al animal que, con feroz y pesado —aunque velocísimo— aleteo —se hubiera dicho que batían mil alas—, se abalanzara, silbando, contra su cabeza.

Reía el monarca, inconteniblemente, al tiempo que alargaba su brazo izquierdo para mostrar lo que sobre el mismo, bruscamente aquietado, acababa de posarse.

«Por el ruido que hace», dijo, «podría pensarse que se trata del gallo, blanco y verde, cuyas alas cubren el horizonte y cuya cabeza casi roza el inalcanzable trono de Dios; pero es, sólo, un ave mecánica, el preferido de mis juguetes. ¿Ves?»

El insólito pájaro de oro batido desorbitó los diamantes de sus ojos, hincó sus garras pintadas de negro sobre la blanca manga de la túnica de su dueño y erizó las plumas metálicas de su copete ante la proximidad de Baruch.

«¡Qué extraño!: lo desazonas. Nunca había ocurrido nada igual. ¡Fíjate cómo tiembla!»

«¿Es mecánico?»

«Sí. Como los hombres y los animales que ahora te mostraré.»

Depositó el ave sobre una percha que sobresalía de la pared, junto a la puerta. Le pasó la mano tiernamente por las alas. Le sonrió.

«Es bello, ¿verdad? Todo aquí es bello. E inquietante.»

Se acercó a una redoma de alabastro colocada en el suelo, entre dos columnas, en cuyo interior lucía una breve llama, y dejó caer sobre ella un puñado de polvos rojos —extraídos no se sabía de dónde— que, tras un corto chisporroteo, dieron lugar a una fogata desmesurada, raramente incolora, semejante en todo a un árbol de fuego líquido cuyas ramas, inmóviles, emitieran un resplandor sideral.

«¡No te asustes!», gritó el rey. «Son autómatas y nadie sino yo puede ponerlos en movimiento.»

Había allí —junto a la paredes de polícromas yeserías donde se enlazaban laberínticamente los signos cúficos en un mensaje destinado a las potencias esquivas del juego; bajo los arcos acanalados que, por apoyarse sobre capiteles, fustes y basas de un material translúcido al extremo, semejaban flotar en el aire; entre las columnas fantasmales alineadas con una simetría opresiva— tigres, elefantes de poca alzada, reptiles con patas, unicornios, simios ciclópeos, y, a más de otros animales de fábula o de pesadilla, hombres —cuya presencia resultaba mayormente estremecedora que la de los brutos con los que se entregaban al sueño sin fronteras de la materia inanimada—, armados con instrumentos de muerte que eran fruto de una mentalidad perversa, vestidos o desnudos, inquietantes, aterradores, obscenos en su letal quietud.

«¡Si vieras qué poca diferencia hay entre estos autómatas, antropomorfos o no, y los hombres de mi corte, de cualquier corte! Fueron creados por un artífice que hice venir desde Bagdad, que recibió muchas riquezas por su trabajo, y que murió de nostalgia al terminar éste y al comprender que yo nunca permitiría que abandonara mi reino. En el interior de cada uno de tan asombrosos muñecos, de tan mortíferos muñecos, existe un mecanismo complejo y delicado, frágil al extremo, que, al ser desencadenado, genera movimientos varios, de los que unos son inocuos —desplazamientos de miembros con finalidad pacífica: andar, coger objetos, girar la cabeza— y otros no —tensar el arco y soltar la flecha, descargar el peso del hacha, dar tajos con la espada—. ¿En qué orden los realizarán cada vez? ¿Cuándo pasarán del deambular tranquilo al crimen sin saña? Imposible preverlo. Se los activa y se espera; y algunos, de inmediato, desencadenan el horror, mientras que los restantes se mantienen dentro de los límites de un obrar sin consecuencias, que, ¡ay!, puede, sin aviso, cambiar de sentido. ¡Pocos placeres me han sido dados que puedan igualarse con el de ver cómo un hombre, o una mujer, se enfrentan con tan diabólica indeterminación, y fenecen o salen ilesos de la desconcertante prueba!» Soltó una carcajada. «¡Bueno, no te indignes! Piensa que sólo someto a esta experiencia a quienes, por una u otra causa, fueron condenados a muerte, y que la compensación de sus sobresaltos se encuentra en la posibilidad de librarse de un fin violento que de otra forma no podrían eludir. No me juzgues con severidad: aunque les hago cortar la lengua para que no cuenten lo que vieron, les permito conservar la vida si se libran del cerco feroz de los autómatas. Éstos —según te decía— son semejantes en todo a los hombres. Como ellos, poseen un repertorio limitado de posibilidades; como ellos, son hasta cierto punto imprevisibles; como ellos, parecen gozar de una libertad, siempre irrisoria, que en el fondo no es tal. ¿Y quién no preferiría éstos, que son muñecos, y controlables por tanto, a los hombres, si fuera posible escoger los súbditos del reino de nuestros más recónditos sueños? Sólo su condición de sexuados redime, para mí, a los hombres de su agobiadora insignificancia.»

Recorrieron la ilimitada estancia bajo la mirada inerte de los seres mecánicos allí congregados, y se detuvieron ante una pared toda cubierta de signos, de figuras sin sentido, donde el oro dominaba. De cara a ella, e inesperadamente, el rey exclamó: «Éstas son las puertas del Paraíso.»

«¿Cómo?», preguntó Débora.

¡Oh! Asombrada, vio que la pared —una parte de ella— se abría al empujarla su acompañante, y, deslumbrada por el fulgor de las bujías —luego—, se quedó inmóvil, sin acertar a articular palabra.

«¿Te sorprende?» El hombre empujó al muchacho hacia adelante. «Pasa», y cerró la disimulada puerta tras de sí.

Se encontraban en una habitación de reducido tamaño, pero de proporciones tan armoniosas que la vista, subyugada por el acorde perfecto de las distancias contrastadas, se perdía gozosamente en el laberinto de su admirativo pasmo, y no se sentía coartada, limitada en ningún momento; tanto más, cuanto que una de las paredes de la recoleta sala aparecía abierta, por tres ventanas gemelas, a los espectáculos del exterior: el cielo, irradiando luz de acero; la masa sombría de la tierra, que se arriscaba, arbolada en algunos puntos, para tornar más próxima al palacio la línea del horizonte. Nada, sino unos cojines de seda —agrupados sobre el suelo— y un enorme espejo de cobre —cuyo marco estaba formado por dragones de lapislázuli—, distraía de la contemplación del exquisito equilibrio entre las líneas verticales y horizontales del piso, del techo, de los blancos tabiques, y el vano curvo de las ventanas.

«Tras de la muerte», dijo el rey, pensativo, «el Paraíso». Batió palmas. «A mi medida, claro; pues sólo soy un hombre. Pero no creo que nadie pueda mejorar lo que, para materializar mis sueños, aquí, y en la habitación de que venimos, he dispuesto.»

A su llamada, surgiendo sin ruido por una puertecita secreta que el espejo ocultaba, habían acudido dos adolescentes —casi un niño, él; ella, en la plenitud carnal ya de la femineidad—, cuyas breves túnicas ricamente guarnecidas apenas velaban la perfección de los cuerpos que cubrían.

«Él o ella, o los dos, pasarán la noche contigo. Obsérvalos bien antes de decidir por qué optarás. Él es un *ghilman*, ¿no es cierto?; y ella, una *hurí*. Y tan grande como la belleza, es la habilidad de ambos en lo que atañe al arte del amor. Fíjate en las piernas del muchacho: cortas, musculosas, pregonan la fuerza de su grueso miembro. Y observa las caderas de la muchacha: en ellas se condensan las virtudes afrodisíacas de su carne pulposa y elástica, con olor a naranja. ¡Qué vértigos te esperan! Tan grandes, que casi los envidio. Y ello, a pesar de que renuncié a este tipo de placeres desde hace mucho tiempo. No, no creas que soy un adepto del amor que cantan los poetas de los Banu Udra. Es que, de antiguo, me convencí de que el deseo exasperado llega a donde no alcanza su satisfacción. Por eso me retengo.»

«La quiero a ella», dijo Débora, con su tierna voz de doncella. Y el rey sonrió.

«Vete», ordenó al muchacho. Que se esfumó en silencio. «Y tú», a la jovencita, «ve haciendo acopio de lo mejor de tus fuerzas.» Se sobresaltó. «¿Qué es eso?» Aproximándose a la ventana central, miró por ella; un creciente rumor inexplicable subía con dificultad hasta las alturas donde se encontraban. «Ya están aquí. Ya llegaron. Antes de lo que yo pensara. ¡La ocasión que busqué durante tantos años!» Se frotó las manos. «¿Te extrañas? No lo harías si supieras que la obra maestra del artífice de mis autómatas nunca pudo ser puesta antes de ahora en movimiento. Es un descomunal jinete sobre un caballo desmedido. De hierro ambos. Situados sobre nuestras cabezas, en la zona más alta de estos alcázares, esperan el momento en que un enemigo cualquiera ponga en peligro nuestra ciudad. ¡El jinete tiene un arco, y una flecha en su carcaj, que, de ser disparada, llevaría la muerte, con llamas, y la destrucción total, al ejército que osara cercarnos! Ese ejército ya está aquí. Por ello, debo apresurarme a poner en funcionamiento el mecanismo que acarreará la ruina de los enemigos del Islam, ahora congregados cabe nuestras murallas. ¡Qué regocijante desatino! Corro, pues, a la recámara donde se encuentra el control del caballo y de su jinete, pavorosos. Hay allí un muñeco dormido, con apariencia de anciano, y delante de él, un tablero de ajedrez: yo desafiaré al simulacro temblequeante a jugar una partida; jugaré y ganaré, y cuando gane, en el momento mismo en que mis piezas hagan imposible todo movimiento de las de mi lúgubre adversario, el caballo de hierro se pondrá en movimiento, orientándose hacia el lugar donde están reunidos mis enemigos, y el jinete sacará la flecha de su carcaj, y la apoyará sobre la cuerda de su arco —que se tensa— y la disparará...»

Apenas había acabado de decir estas palabras y ya se había ido, dejando solos a Débora, en su encarnadura viril, y a la muchacha, que, con presteza, se despojó de su túnica, y, desnuda por completo, se dejó caer sobre los grandes cojines multicolores, acurrucándose entre ellos de tal forma, que únicamente quedaban al descubierto aquellas partes de su cuerpo que, de modo habitual, sus ropas dejaban al aire.

Dio unos pasos Débora y se encaró con el espejo. Se colocó frente a él: una mancha roja —la capa— y dos blancas —los pies, muy juntos, y la cabeza, aureolada por los rubios cabellos—. «Sí», dijo. Sacó una mano, que temblaba, y nerviosamente desanudó los cordones que sujetaban a su cuello la ropa. Esta cayó al suelo. «¡Oh!» Con los ojos refulgentes, se pasó la mano por la cara, acariciándola, demorándose en los labios, cuyo contorno siguió tiernamente —la yema del dedo apenas los rozó—. Luego, la mano se cerró sobre la garganta poderosa, se deslizó hacia las clavículas, hacia los hombros —por cuyas curvas resbaló—, volvió al pecho, jugueteó con el vello dorado que llameaba alrededor de los pezones, bajó hasta las costillas, hasta el liso estómago y el vientre mínimo, se demoró en el pubis, empuñó el miembro viril, pronto henchido entre los dedos —«¡Señor!»—. Y entonces, cuando el miembro alcanzó su máximo desarrollo, Débora se volvió hacia la muchacha que languidecía entre los cojines, y se lo mostró.

Se apresuró a apagar todas las bujías. Se inclinó sobre la muchacha. «¿Cómo te llamas?» La acariciaba. «Tus labios», pidió. Y se echó sobre ella. «¡Ardes entre las piernas! ¡Y qué bien hueles! Eres suave, suave, suave. Y dura.» Mordió. «¿Por qué tiemblas?» Vientre contra vientre, boca contra boca. Y las lenguas, entrechocando, como espadas. «¿Cuál es tu nombre, cuál es tu nombre?» La mano de la muchacha buscó el miembro, y cuando lo tuvo, lo dirigió... «¡Ah! ¿Qué haces? ¡Este ardor!» La muchacha comenzó a pujar con la pelvis. El cuerpo masculino no hacía el menor movimiento. Bisbiseó Débora: «Ya no puedo resistir. Quiero de ti un hijo.»

Un ruido pavoroso —muy próximo, terrible— arrancó a la pareja de su encarnizado olvido del mundo. Un ruido como de muro —enorme— que se derrumba, que se repitió de a poco.

«Son los cristianos», gritó Débora, de pie ante las ventanas. «Dos rocas inmensas, lanzadas con una catapulta, acaban de dar contra el muro —aquí, muy cerca— que se resquebraja.»

Al volverse, vio que su compañera había desaparecido.

«¿Dónde estás? No me dejes.»

Corrió hacia la puerta por donde entraran los dos muchachos. Y la encontró cerrada. Corrió, desde allí, hacia la puerta por donde llegó con el rey. Y al empujarla, ésta cedió.

«¡El Señor me proteja!»

Con los arcos tensos, con las espadas y hachas en alto, con los colmillos fuera y las garras salidas, los guerreros mecánicos, los animales mecánicos, avanzaban, chirriantes, en su dirección. Todos ellos, a cual más fiero. Con crujidos metálicos, con andares de fantasma y maligna crueldad en sus movimientos contra natura.

«¡Maldito sea el hombre que los hizo!»

Intentó cerrar la puerta, para protegerse. No lo consiguió. Corrió hacia las ventanas. ¡Ya zumbaban las flechas! Subiéndose al repecho, buscó por dónde escapar. ¡No había medio! ¿Y aquella grieta? Sí. Alargó una pierna, metió los dedos del pie en la hendidura, los de la mano derecha en otra... Escaló y escaló, con el corazón en la boca, con arrebatos de desesperación. ¡Qué alto, inacabable, el muro! Y por último... «¡Me caigo!» Pero no. Ya estaba arriba. Un último esfuerzo. «Valor», se dijo, «valor».

Lloró al dejarse caer sobre la terraza. Inerte sobre los ladrillos polvorientos, estuvo quejándose hasta que, con la calma penosamente recuperada, sus sentidos se despertaron. Sintió frío, entonces. Era grande éste. Y mayor aún, el sentimiento de su soledad.

«Dios de Abraham, Dios de Jacob...»

Poniéndose de pie, se frotó el cuerpo, hasta entrar en calor; mientras lo hacía, miraba hacia abajo: había luces, en lo hondo, que se desplazaban por el seno de la oscuridad.

Erró largo rato —«¿Dónde estás, Baruch, querido?»— por las terrazas —pasaba de una a otra con agilidad que la sorprendía siempre—, tan desolada, tan ajena a sí, tan vacía de esperanza y de recuerdos, tan triste y mustia y desfalleciente, como lo estuvieran las tribus en su desplazamiento sin sentido por el estéril desierto, castigo de su culpa. No prestaba atención —«¿Por qué te fuiste»— ni a la súbita y pronto calmada violencia del viento racheado, ni al resplandor mortecino de la luna —redonda y desmesurada sobre su cabeza; siempre, por más que se desplazara—, ni a los pavos reales que, asustados por su inesperada aparición, corrían desalados, ante ella, con raucos gritos. «¡Señor!», gimió. ¿Cómo era la oración? *Neïlah*, sí. Y, en voz alta: «Ábrenos tus puertas», dijo, «a esta hora en que se cierran las puertas, pues el día declina», omnipresente, la luna, «pues el día huye, y el sol toca ya el horizonte. ¡Déjanos entrar por tus puertas!»

Sofocó con esfuerzo un grito. «¿Qué es esto?»

¡Abominable grupo tenebroso! De hierro. De negro hierro.

Allí, ante su cuerpo de muchacho, sobre una construcción irregular, se alzaban el jinete y el caballo vengadores: masa oscura y yerta, de inmovilidad malvada. Allí, ante su temeroso asombro de muchacha —¿a qué se debería el resurgimiento de una debilidad femenil aparentemente perdida con la llegada de la muerte?—, sobre su basa enjalbegada, los autómatas aguardaban el desenlace de la partida que en aquellos momentos se disputaba en una cámara secreta, ignorada por todos: pareja arrancada a lo imposible por un artífice nostálgico y demente.

Débora, con el espíritu desarbolado, se entregó sin resistencias a las encrespadas olas de la derelicción.

¡Qué estruendo abajo! —se había asomado al pretil de la terraza—. El enemigo se aproximaba. Y, súbitamente, sintió una punzada aguda en el corazón.

¡Crujiendo, rechinando, con un ruido abominable, con chirridos de ultratumba, el caballo de hierro comenzó a desplazarse, a girar, a girar, torpe, inexorablemente, y el jinete alzó un brazo —su brazo derecho— y alargó la mano —cuyos dedos se cerraron sobre el penacho emplumado de una de las flechas del carcaj—, y el caballo se inmovilizó, y el jinete tensó su arma, apuntando interminablemente!

Débora se sintió mojada, chorreante; Débora se sintió al borde de un vahído, con fuerzas que menguaban. Se llevó una mano al corazón, y allí... ¡Oh, allí, bajo la tetilla izquierda del cuerpo de Baruch, había una flecha, una flecha clavada hasta la mitad de su ástil!

Dijo: «Escucha, Israel: el Eterno es nuestro Dios, el Eterno es Uno. Bendito sea el Nombre de Aquél cuyo reinado glorioso es eterno. Dios reina, Dios ha reinado, Dios reinará por siempre. El Eterno es Dios, el Eterno es Dios.»

Estas últimas palabras habían sido dichas con la voz de Baruch. De Baruch, que, de nuevo en posesión de su cuerpo, acezante, bañado en sangre, buscó con los turbios ojos a su compañera —«¡Débora!»—, sin encontrarla.

El muchacho, al pie del grupo formado por el caballo y el jinete de hierro —éste seguía visando en dirección al campamento del enemigo, sin disparar aún—, se irguió de súbito sobre sus piernas temblequeantes, y posando los ojos en el cielo, que vacilaba, gritó con voz ardiente:

«¡Oh, tú, que eres el mal: ven en mi ayuda! ¡Devuélveme lo que me quitaste! ¡Dame a Débora y hunde luego mi alma en el abismo, pues ella me pertenece!»

Un ruido atroz se oyó entonces. Y un relámpago pasó —muy cerca— por encima de la cabeza de Baruch. Y una llamarada, y luego un incendio bestial, inextinguible, brotó y se extendió a lo lejos, por la llanura.

¡El jinete había lanzado su flecha, y ésta había prendido fuego al mundo!

Con los ojos velados, entre los párpados que no conseguía mantener abiertos, Baruch vio que las llamas subían, subían. Y que el cielo, como un pergamino entregado al fuego, se enroscaba sobre sí, dando paso a un vacío inexcrutable. Y que de lo más hondo de ese vacío se alzaba una luz, que crecía, que se aproximaba. Y que el núcleo de esa luz era una figura. Y que esa figura era un hombre espantable. «¡Señor de las tinieblas!» Un hombre espantable que ya estaba sobre él, aureolado por una fealdad sin nombre. Cada vez más cerca.

Baruch gritó. Locamente. Pero sin miedo. Trascendido por una alegría que no era de este mundo. Pues el hombre no era un hombre, sino Débora —«¡Débora, Débora!»—, que, en el esplendor glorioso de su belleza, lo besaba. ¡Tan largamente!

Ya no existía la tierra. Tampoco el cielo. Sólo Débora. Y él.

Musitó la princesa: «Débora, penetraré en ti.»

Musitó el príncipe: «Entra, Baruch, en mí.»

Susurró la princesa: «Baruch, cuando estés entre mis

piernas, el vello se extenderá por tu pecho, y tu voz se volverá más ronca, y tu aliento se cargará con el aroma turbador del semen fresco, y los músculos de tus ijares serán como los del toro en la dehesa.»

Susurró el príncipe: «Débora, debajo de mí serás como un río que se goza en su fluir ilimitado, en el roce y en el choque con la tierra y con las piedras, en la fusión con las aguas salobres del mar, sin fondo ni orillas, donde desemboca; serás como la primavera, que cifra su gloria en no ser sino una floración de los prados, de las flores, de los árboles, y de los animales y hombres cuyo ardor concita.»

Farfulló la princesa: «Débora, lameré tus labios, y tus pechos, la aureola y los pezones, morderé tu pubis y desgarraré tu vulva con mi lengua musculada y enhiesta.»

Farfulló el príncipe: «Baruch, mantendré tus tetillas entre mis dientes hasta que tu verga embravecida arrastre tras de sí las bolsas donde se incuba el incendio que me cubrirá de llamas.»

Dijo la princesa: «Baruch, roza mi clítoris y distiende mi esfínter; anégame, mi varón, con el líquido hirviente y espasmódico que brota de tu vientre.»

Dijo el príncipe: «Débora, te cubriré, y tú, impulsada por el volatín del grito, ascenderás al último cielo, a donde yo iré a recogerte aupado por el placer que el verte y el sentirte y el agredirte con la fuerza de mi carne me causa.»

Gritó la princesa: «Débora, tu semen, tu miembro, esa fiera, ¡basta, sigue, ven!»

Gritó el príncipe: «Baruch, ya voy, no me retengo, ¡ay!, nunca podré regresar.»

Y ella: «Ya estás aquí.»

Y él: «¡Has vuelto!»

Concluido el relato, el anciano cerró los ojos y dejó que sus manos, que habían acompañado hasta entonces con el suyo el movimiento del mismo, se relajaran en su regazo. Pronto amanecería, pero aún las tinieblas eran dueñas absolutas de todo lo que se extendía más allá del círculo luminoso generado por la vela, ya declinante, que los alumbraba.

—Maestro, maestro. ¿Todo esto es verdad? ¿Todo esto ocurrió así como dices?

Alzó el anciano los párpados y miró, desde muy lejos, a aquel de los dos hombres sentados ante él que había hablado.

—Una pregunta así —respondió— no puede ser contestada como tú deseas. ¿Qué pensarías si yo ahora dijera: soy el diablo, que he venido para buscar vuestra perdición, para arrastraros tras de mí a las tierras desérticas del error? ¿Me creerías entonces?

Y soltando una carcajada, se alzó con inusitada agilidad y apagó de un manotazo la vela, que rodó por el suelo.

—¡Maestro, maestro! —gritaron los discípulos desde el centro geométrico del silencio, de la oscuridad y del más extremo pánico.

Hubo una pausa. Y luego, desde detrás de la puerta:

—No temáis. Ya voy con vosotros. Ya llego.

Io ti ringrazio, Amore,
d'ogni pena e tormento,
e son contento omai —d'ogni dolore.

Contento son di quanto ho mai sofferto,
signor, nel tuo bel regno;
poi che per tua merzè sanza mio merto
m'hai dato un si gran pegno,
poi che m'hi fatto degno
d'un si beato riso,
che'n paradiso —m'ha portato il core.

ANGELO POLIZIANO
Canzoni a ballo e canzonette